Charmed

QUAND LE PASSÉ REVIENT

Traduit de l'américain
par Dominique Carton
et adapté pour l'édition Jeunesse
par Josiane Attucci

Quand le passé revient

Une novélisation de Rosalind Noonan
d'après la série télévisée « Charmed »
créée par Constance M. Burge

3e édition

Édition Jeunesse

Titre original :
Whispers from the Past

Série proposée par Patrice Duvic

Loi n° 49-956 du 16 juillet 1949 sur les publications destinées à la jeunesse : juin 2002.

ISBN 2-266-11687-8

CHAPITRE PREMIER

Le sorcier était acculé au mur de brique d'une étroite ruelle sombre, à l'arrière des magasins bigarrés du quartier populaire de North Beach, à San Francisco.

L'homme aux étranges yeux jaunes scintillants poussa un grognement à l'intention des sœurs Halliwell, Phoebe, Piper et Prue. L'individu avait surgi d'une sortie de secours, saisi les cheveux de Piper et lui avait murmuré au creux de l'oreille quelques mots sur le côté obscur des choses.

Lorsque ce sale type les avait agressées, les trois sœurs se promenaient tranquillement vers le vieil entrepôt transformé en galerie marchande.

C'est à cet instant que le sorcier avait attaqué.

Affronter les créatures de son espèce ne constituait pourtant pas une nouveauté pour Phoebe, Prue et Piper. Elles étaient les *Charmed*, trois sorcières aux pouvoirs spéciaux. Depuis la découverte du *Livre des Ombres* dans le grenier de Halliwell Manor, la maison qu'elles avaient héritée de leur grand-mère, elles se familiarisaient avec l'art de la sorcellerie.

Elles avaient prêté le serment d'utiliser leurs pouvoirs pour faire le bien. Cela impliquait le fait d'affronter toutes sortes d'êtres maléfiques, dont celui-ci. À présent, elles se révélaient extrêmement performantes. Et tant qu'elles resteraient ensemble – aussi longtemps qu'elles posséderaient le Pouvoir des Trois –, rien ne pourrait les arrêter.

Pour le moment, elles avaient l'avantage. Après s'être dégagée de l'étreinte du sorcier en le frappant à la cheville, Piper lui bloquait maintenant le passage ; Phoebe, quant à elle, se tenait face à lui et était suffisamment près pour pouvoir l'atteindre et effacer le sourire narquois qu'il affichait. Il était pris au piège, et le savait.

— J'ignore pourquoi vous êtes ici, lui lança Prue, et d'où vous venez, mais vous allez bientôt le regretter.

— Vraiment ? grogna le démon. Si vous voulez me faire peur, il va falloir trouver quelque chose de plus convaincant.

Piper avança, fermant le cercle que les trois sœurs formaient autour du sorcier. Il leva alors la main, dévoilant un poignard argenté. D'un geste précis, il lança l'arme dans la direction de Phoebe.

Elle ferma les yeux, paralysée, attendant l'impact de la lame froide et affûtée qui traverserait sa veste de cuir, son tee-shirt, et déchirerait sa chair.

Mais elle ne sentit rien.

En ouvrant les yeux, elle vit la dague suspendue dans le vide, à quelques centimètres de sa poitrine. Le sorcier était figé, le visage tordu dans un rictus.

Piper avait fait appel à son pouvoir pour arrêter le temps.

— On l'a échappé belle, fit Prue.

— Tu peux le dire, acquiesça Phoebe, qui essuya ses mains trempées de sueur sur son jean.

Prue concentra son regard sur le poignard. S'aidant d'un geste ample de la main, elle utilisa son pouvoir de télékinésie pour dévier la trajectoire du poignard qui retomba sur le ciment, aux pieds de Phoebe.

— Mais qui est ce type ? demanda Piper. Vous savez, je crois qu'il a bloqué mes pouvoirs pendant un instant. J'essayais de l'immobiliser, et je n'obtenais rien.

Phoebe se pencha pour ramasser l'arme. À la seconde où elle l'effleura, elle eut une vision – une de ces images de l'avenir ou du passé qui l'envahissaient parfois. Elle entendit un rire démoniaque, puis un éclair zébra l'espace et une tornade verte apparut. Deux personnages en émergèrent bientôt…

Pop !…

La scène s'effaça brusquement et Phoebe se retrouva de nouveau dans le présent.

— Que se passe-t-il ? demanda Piper.

— Je commençais à avoir une vision, mais tout d'un coup, les images se sont brouillées, puis plus rien.

— Qu'as-tu vu ? s'enquit Prue.

— Je ne sais pas exactement, mais il y avait… beaucoup de vert, continua Phoebe en haussant les épaules.

— Du vert ? reprit Piper.

— C'était de la fumée ! s'exclama Phoebe.

Prue se tourna vers l'individu figé en faisant une grimace.

— Alors, même pétrifié, vous bloquez les visions de Phoebe ? Vous devez être très puissant.

— Qu'allons-nous faire ? interrogea Piper, nerveuse. Le charme va être rompu d'une seconde à l'autre…

Piper ne put terminer sa phrase. Le démon commençait à s'agiter.

— Quoi ? murmura-t-il, désorienté.

Puis, reprenant l'usage de ses sens, il se remémora la situation et fit entendre un rugissement de fureur.

— Viens donc, je t'attends, dit Phoebe en agitant le poignard.

Un symbole sombre gravé sur le manche attira son regard. Que pouvait-il représenter ? Elle n'avait jamais vu cela. Ni chez les adeptes de Wicca, ni même en magie noire. Quelle sorte de sorcier était ce type ? Ses pouvoirs dépassaient de loin ceux que possédaient les sorciers qu'elle avait rencontrés jusqu'ici.

Ouahou ! L'homme frappa du pied la main de Phoebe.

— Brrrrraaaah ! rugit-il.

— Frustré parce que tu ne peux pas la prendre ? se moqua Phoebe en brandissant la dague d'un air provocateur.

Le sorcier fixa Phoebe d'un air haineux. Ses yeux jaunes semblèrent la pénétrer, la faisant frissonner l'espace d'un instant. Puis son regard revint sur le poignard.

Une vague glacée parcourut alors la main de Phoebe qui tenait l'arme.

Puis, la lame étincela et se brisa en minuscules particules qui tourbillonnèrent.

Sidérée, Phoebe contemplait sa paume vide.

— D'accord, dit Piper. Maintenant, ça me donne vraiment la frousse.

Le démon saisit un cageot qui traînait par terre, le fit tournoyer et le projeta sur Piper.

— Arrête-le ! hurla Prue à l'adresse de Piper.

Cette dernière tenta de se concentrer, mais sa capacité de geler le temps se trouvait elle-même… gelée.

Phoebe, horrifiée, suivit des yeux la trajectoire de la caisse jusqu'à ce que celle-ci heurte Piper, la jetant au sol.

— Non ! cria Prue en se précipitant au secours de sa sœur. Piper, comment vas-tu ? demanda-t-elle.

La jeune fille lui fit un signe de la tête plutôt encourageant, ouvrit la bouche pour parler, mais aucun son n'en sortit. Profitant de ce moment d'inattention, le sorcier s'enfuit à toutes jambes, sans demander son reste.

— Il se sauve ! s'écria Phoebe en se précipitant à sa poursuite.

— Non ! hurla Prue. Phoebe, reviens, tu n'y arriveras pas seule !

Mais Phoebe était déjà loin.

Le sorcier courait vite, mais la jeune fille gagnait peu à peu du terrain. Elle gardait les yeux fixés sur lui, pourtant elle le perdit de vue lorsqu'il tourna sur la gauche.

Son cœur battait follement. Le monstre allait lui échapper, cela ne faisait aucun doute. Atteignant l'endroit où il avait disparu, Phoebe découvrit une ruelle plus sombre encore que la première.

Elle l'aperçut, immobile, à côté d'une rangée de bennes à ordures. Elle accéléra, il était presque à sa portée.

C'est alors qu'un phénomène étrange l'arrêta net. Pantelante, Phoebe vit la peau de la créature se boursoufler et commencer à fondre, ainsi que ses cheveux et ses vêtements.

Son corps entier se transforma en une masse verte et visqueuse. La métamorphose terminée, de profondes rides sillonnaient le crâne de la créature ; une bouche hideuse découvrait des dents irrégulières et cariées, qui se chevauchaient. Son épiderme était plein de cicatrices suintantes et renflées. Une longue queue de poil touffu se détachait au bas de son dos, et ses pieds s'étaient mués en d'énormes pattes griffues.

Phoebe, pétrifiée, sentit le sang lui monter à la tête. Devant elle, se trouvait le Mal incarné.

Reste calme... Pas d'issue pour le monstre vert, songea-t-elle en réalisant que la ruelle était une impasse. Tout ce qui lui restait à faire était de le tenir coincé là, jusqu'à ce que ses sœurs arrivent : une broutille !

Mais la créature reprit sa course. *Où va-t-il donc ?* s'interrogea la jeune fille. *Il n'y a qu'un mur de brique au bout...*

Il se déplaçait vite, ses pieds verts caoutchouteux rebondissant sur le sol poussiéreux.

Ce démon est peut-être stupide, pensa Phoebe en décidant de le suivre.

— Où crois-tu aller comme ça ? l'apostropha-t-elle.

— Essaie donc de m'attraper ! cria-t-il par-dessus son épaule.

— Me prends-tu pour une gamine de trois ans ? lui renvoya Phoebe.

Il s'agissait bien d'un démon stupide et bêcheur – la pire sorte.

Et cet idiot allait s'écraser contre le mur !

Mais… le mur changeait de consistance ; il devenait flou, indistinct et tout autour de lui miroitait. Au moment où le démon atteignait le fond de l'impasse, Phoebe y vit une ouverture se créer comme par magie.

Mais elle le talonnait et n'avait pas l'intention de le perdre.

Comme il plongeait dans la brèche, Phoebe le rattrapa.

— Je te tiens ! exulta-t-elle en lui saisissant fermement la queue.

Elle cala l'extrémité de ses bottes contre la base du mur, se pencha en arrière et tira de toutes ses forces. Elle devait ramener cet horrible diable dans l'impasse.

Que se passe-t-il ?

Phoebe sentait que son appui commençait à céder sous ses pieds ; elle ne pouvait plus faire contrepoids. Les briques se désintégrèrent et se mirent à tournoyer autour d'elle. Elles étaient aspirées comme des particules de poussière dans un aspirateur géant. Phoebe elle-même se sentait glisser insensiblement dans le tourbillon.

Je dois le laisser partir ! se dit-elle. *Je dois sortir de ce trou !*

— Piper ! cria-t-elle. Prue ! Au secours !

Elle se débattait, donnant des coups de pied, luttant contre une force inouïe.

Mais ses efforts semblaient vains. Chaque mouvement la poussait un peu plus dans le vortex. En se retournant, Phoebe eut brièvement l'image d'un mur de brique et d'un ciel bleu. Puis l'espace s'assombrit alors que le trou noir l'engloutissait.

CHAPITRE 2

— Je les ai vus tourner par là, dit Piper en s'engageant dans la ruelle.

Son bras la faisait souffrir, mais cela lui importait peu : il fallait retrouver Phoebe qui s'était lancée à la poursuite du sorcier.

— Prue, tu l'as entendue, elle nous appelait, reprit-elle, anxieuse.

— Oui, mais... Où est-elle ? Je lui ai pourtant recommandé de ne pas y aller seule. Pourquoi n'écoute-t-elle donc jamais ?

Piper savait que Prue ne condamnait pas leur jeune sœur ; elle était seulement profondément inquiète de la disparition de Phoebe et du sorcier.

— Phoebe ! appela Piper, essayant de contenir le sentiment de panique qui l'envahissait. Où es-tu ?

— On ne la trouvera pas ici, déclara Prue, tandis qu'elle parcourait la ruelle du regard. Et il n'y a aucune issue pour sortir de cette impasse infecte.

Il n'y avait ni porte ni fenêtre, ni clôture à escalader, seulement deux bennes à ordures et quatre étages de brique.

— Là-haut ! suggéra Piper, en montrant du doigt le toit. Le sorcier a pu s'enfuir par ici en portant Phoebe sur son dos ?

Prue se renfrogna davantage.

— C'est un sorcier, pas Spiderman.

Piper inspecta avec précaution l'intérieur d'une des poubelles, retenant sa respiration à cause de la puanteur. Elle était vide.

Piper remarqua alors une masse sombre au fond de l'impasse. Était-ce un tas de haillons ? Une pile de papiers ?

En s'approchant, elle constata qu'il s'en dégageait de la fumée.

— Prue, regarde ! Qu'est-ce que ça peut être ? demanda-t-elle.

— Ce sont des vêtements, non ?

En se penchant, Piper toucha un morceau de tissu, qu'elle lâcha brusquement, tant il était chaud.

Sous la poussière et les cendres, elle découvrit la veste en cuir de Phoebe.

— Phoebe !... murmura Piper.

Prue, incrédule, se pencha sur la pile de vêtements. La terreur se lisait dans ses yeux alors qu'elle les examinait.

Elle sortit un stylo de sa poche, qu'elle utilisa pour mettre de côté tout ce que Phoebe portait : sa veste, son jean, son tee-shirt et ses sous-vêtements, enduits d'huile et de suie.

— Qu'est-ce que ça signifie ? demanda Piper, effrayée. Si ses vêtements sont là, où se trouve-t-elle, alors ? Que lui est-il arrivé ?

Imaginer Phoebe seule, nue, peut-être prisonnière du sorcier, lui était insupportable. Elle éclata en sanglots, le visage enfoui dans ses mains.

— Prue, elle a disparu, gémit Piper, incapable de calmer ses pleurs. Quelque chose de réellement horrible lui est arrivé.

— Non, voulut la rassurer Prue. Phoebe va bien. Le sorcier a probablement utilisé un sortilège. Et les sortilèges peuvent être défaits, d'accord ? N'oublie pas que nous sommes les *Charmed*.

— *Avec* Phoebe, ajouta doucement Piper. Mais elle n'est plus là. (Elle écrasa une larme sur sa pommette.) J'ai peur, Prue…

Prue aida sa sœur à se relever, l'attira contre elle et la serra très fort entre ses bras.

— Ça va aller, nous allons éclaircir ce mystère.

Piper ferma les yeux, espérant de tout cœur que son aînée ait raison.

— Il y a une explication à cela, déclara Prue avec confiance. Nous devons juste découvrir ce qui s'est produit. Puis nous retrouverons Phoebe.

Essuyant ses larmes du dos de la main, Piper prit une profonde inspiration.

— Ce n'est pas si facile, Prue. Par où commence-t-on à chercher quelqu'un qui s'est volatilisé ? Nous aurions probablement plus de succès en essayant de mettre la main sur ce stupide sorcier.

Prue poussa un cri de joie et s'assit près de la pile de vêtements.

— J'ai une idée ! Piper, donne-moi ton sac à dos.

— Pourquoi ? demanda celle-ci tout en le lui tendant. Que fais-tu ?

— Je ramasse les habits de Phoebe. Ils ne fument plus.

Elle saisit délicatement la veste en cuir, puis essaya de la plier aussi parfaitement que possible en évitant de se salir les mains.

— Ils peuvent être une clé pour la retrouver.

— Peut-être… fit Piper avec espoir.

Agenouillée à côté de sa sœur, elle l'aida à rassembler ce qui restait de la tenue de Phoebe.

— Nous devons rentrer à la maison pour consulter *Le Livre des Ombres*, proposa Prue en fermant le sac à dos.

Le Livre des Ombres contenait de nombreuses formules, transmises par les ancêtres des sœurs *Charmed*. Tout avait débuté avec Melinda Warren, qui fut brûlée pour sorcellerie en 1654 ; elle y écrivit les premières lignes. Beaucoup d'autres femmes de la famille y avaient inscrit de nouveaux sortilèges. La dernière utilisatrice en avait été Grams, qui avait élevé les trois sœurs.

— As-tu déjà vu ça dans le livre ? questionna

Piper. Des démons ayant le pouvoir de faire partir quelqu'un en fumée...

— Non, mais il y a tant de choses que nous n'avons pas encore vues.

Prue se leva et se frotta les mains. Piper remarqua une trace de suie sur sa joue. Elle l'effleura délicatement et l'effaça avec le pouce.

— L'idée de partir d'ici me répugne presque ; c'est le dernier endroit où Phoebe s'est trouvée...

Quelque chose vacilla dans le regard de Prue. Était-ce l'expression de la peur ? Piper n'en était pas certaine.

— Prue, penses-tu vraiment qu'elle va bien ?

— Absolument.

Prue mit le sac sur son épaule, semblant aussi sûre d'elle qu'à l'accoutumée. Piper devinait que ce n'était qu'une façade, mais, d'une certaine façon, cela la rassurait.

— Que Phoebe se porte bien ne fait aucun doute pour moi, continua Prue. Et si ce sorcier l'a blessée, nous allons donner un sacré coup de pied à son derrière sulfureux.

— Prue ? Piper ? M'entendez-vous ? criait Phoebe.

Pas de réponse. Ses mots étaient déformés comme si elle parlait sous l'eau. Elle agita les pieds et se jeta en avant, se sentant comme un nageur qui ne pourrait pas retrouver la surface. Elle n'avait d'autre choix que d'aller là où les éléments l'emportaient.

Elle percevait la présence du démon. Il était proche, mais où exactement ? Tout ce qu'elle voyait, c'étaient des couleurs chatoyantes qui tourbillonnaient ; des ombres et de la lumière. Impossible de comprendre ce qui se passait autour d'elle.

— Piper ! Prue ! s'égosilla-t-elle de nouveau.

Mais elle savait que ses sœurs ne l'entendaient pas, et elle ne pouvait rien y faire.

Jetant des regards alentour, elle remarqua une ouverture, vers laquelle elle se dirigeait lorsqu'elle fut tout à coup enveloppée par un brouillard aveuglant.

— Oh ! fit-elle en tombant sur quelque chose de dur.

Tâtonnant doucement, elle sentit de la poussière et se rendit compte qu'elle était de nouveau sur la terre ferme.

Puis, elle réalisa qu'elle était assise dans une ruelle. Certainement pas la même que celle où elle se trouvait avant d'être prise dans le tourbillon, à moins que la créature n'ait transformé les bâtiments de brique en maisons de bois. Mais au moins, c'était réel. Oui ! Enfin, de retour sur cette bonne vieille planète.

Soudain, elle aperçut le démon, affalé à quelques mètres seulement. Il tenait sa grosse tête entre ses pattes griffues. Phoebe se releva, mais il était déjà debout et s'enfuyait en direction de la lumière.

— Hé ! cria-t-elle. Ce jeu de poursuite commence vraiment à m'énerver !

Alors qu'elle courait, elle sentit qu'elle avait mal aux pieds et elle éprouvait une étrange sensation de froid. Mais elle évacua ces impressions, il serait temps d'y penser plus tard.

Arrivée au bout de la ruelle, Phoebe fit une pause pour observer calmement les lieux. Où était donc ce démon ? Aucune trace de lui nulle part. Il n'y avait d'ailleurs personne en vue, uniquement d'étroites maisons aux toits pentus. Tremblant de froid, elle se mordait les lèvres, se demandant comment il avait pu disparaître aussi rapidement.

C'est alors qu'elle baissa les yeux et découvrit que ses habits s'étaient volatilisés ; elle était entièrement nue !

— Eh bien, il ne manquait plus que ça ! s'exclama-t-elle.

Elle replia les bras pour couvrir sa poitrine et se glissa derrière un chariot de bois pour cacher le reste. Désormais, la situation était vraiment délicate. Non seulement la créature l'avait attirée dans cet endroit, mais, en plus, elle l'avait dépouillée de tous ses vêtements. Elle lui donnerait une bonne leçon lorsqu'elle l'attraperait. Phoebe n'avait pas encore une idée exacte de la punition qu'elle lui réservait, mais ce diable vert et visqueux allait payer.

Appuyée contre le paravent improvisé, la jeune fille remarqua qu'il était chargé d'un petit panier de pommes de terre et d'un sac de grain. Sur le siège, elle vit un tablier en cuir. Elle s'en empara et l'attacha au cran le plus serré. La ceinture pendait toujours sous son nombril, mais pour l'instant, c'était ce qu'elle pouvait faire de mieux.

Et maintenant, voilà qu'elle ressemblait à une cow-girl à demi nue !

Phoebe entendit du bruit et regarda sur sa gauche ; un homme avançait vers elle, un bagage sur l'épaule.

— S'il vous plaît, ne me regardez pas, chuchota-t-elle.

De sa cachette, elle l'observa. Il portait une chemise et un pantalon noirs. Ce qui était plus surprenant, c'étaient ses chaussures, qui semblaient être les ancêtres des Doc Martens, et son étrange chapeau.

Elle s'accroupit derrière le chariot, tandis que l'homme s'approchait. Mais il fixait le sol et il passa sans la voir. Elle était sauve, pour l'instant... Car de la direction opposée venaient trois femmes coiffées de sévères capuchons noirs et vêtues de robes sombres, tombant à la cheville. Si celles-ci la remarquaient, les choses pourraient bien se gâter.

Phoebe resta dissimulée jusqu'à ce qu'elles soient passées et les regarda s'éloigner à travers les roues du chariot. *Peut-être puis-je trouver du linge étendu quelque part*, songea-t-elle.

À cet instant, Phoebe prit conscience que quelque chose n'était pas normal. Le véhicule derrière lequel elle s'était réfugiée était en bois. Une cachette inhabituelle dans le San Francisco du XXIe siècle. Mais bientôt, elle fut tirée de ses réflexions par un hennissement. Elle se tourna lentement vers la droite. Glups ! c'était ça : deux chevaux se dirigeaient vers l'attelage. Comment pouvait-elle ne pas les avoir vus plus tôt ?

C'était pire que ce qu'elle avait d'abord imaginé. *À moins que je ne sois tombée dans une fête costumée*, se dit-elle, *je crois que ce démon m'a transportée dans une autre époque, car tout cela ne ressemble en aucun cas à la côte Pacifique du XXIe siècle.*

Cela ne servait à rien de le nier. Elle avait remonté le temps. Ce vortex devait constituer une fissure temporelle. Phoebe avait lu des textes à ce sujet dans *Le Livre des Ombres*. Il s'agissait de sortes de vagues qui pouvaient vous transporter vers le passé ou le futur et qui nécessitaient des procédés magiques très sophistiqués qu'elle et ses sœurs s'étaient bien gardées d'utiliser.

— Qui va là ? appela une voix masculine sur un ton agressif.

Phoebe en eut la chair de poule. Elle tourna lentement la tête. Un petit homme à la face cireuse, portant un chapeau à large bord, se tenait derrière elle.

Phoebe se recroquevilla derrière l'attelage, mais il était trop tard.

— Bien le bonjour à vous, monsieur, marmonna-t-elle, déployant tout son courage.

Elle croisa les bras, de manière à cacher tout ce qui pouvait être exposé.

L'homme la désigna du doigt.

— Je crois que la dame n'a pas de vêtements ! annonça-t-il d'une voix forte.

Tout juste, Auguste ! pensa Phoebe.

Il fut rejoint immédiatement par les trois femmes qui venaient de passer et un couple qui sortait d'une maison voisine. Deux hommes portant de longs tabliers de cuir émergèrent de ce qui semblait être une étable. Un autre conduisant une carriole s'arrêta net, alors qu'il pénétrait dans la ruelle.

Phoebe frissonna tandis qu'une brise fraîche s'élevait. Était-elle censée expliquer à ces gens qu'elle venait d'une autre époque et qu'elle s'était aventurée là pour poursuivre un démon ? Probablement pas.

Des gens dans la foule murmuraient en l'observant ; quelques-uns même plaisantaient. Une vieille femme s'avança et pointa un doigt ratatiné en direction de l'estomac de Phoebe.

Elle fut prise d'une nausée soudaine. Oh ! Oh ! cela commençait à devenir effrayant.

— Vous avez vu son ventre ? commenta la vieille d'un ton mauvais. Il est percé d'un anneau. C'est la marque du diable, je vous le dis !

— C'est vrai, acquiesça quelqu'un.

— Satan ! cria Face cireuse.

Phoebe baissa les yeux.

— Mon piercing ! grommela-t-elle.

Accentuant l'étreinte de ses mains sur sa poitrine, elle ferma les yeux l'espace d'une seconde et souhaita se trouver n'importe où ailleurs… Les expressions des visages dans la foule se durcirent, les regards se firent plus sombres.

La vieille la montrait toujours du doigt. Sa main fripée tremblait.

— Cette femme porte un anneau dans sa chair et cependant elle vit et respire ! vociférait-elle. Elle doit être une sorcière.

— Une sorcière ?

Des murmures indignés parcoururent la foule.

Phoebe demeurait bouche bée. Que pouvait-elle dire ? « J'en suis bien une, mais gentille. Vraiment ! Ce n'est pas du tout ce que vous pensez ! »

— Oui, oui, je le vois ! cria une autre femme. C'est bien un suppôt de Satan !

— Sorcière ! vociféra la foule en l'entourant. Sorcière ! Sorcière !

Un frisson d'angoisse parcourut Phoebe à l'idée que, à cette époque, les gens n'appréciaient pas particulièrement les sorcières.

En fait, il leur arrivait même de les tuer.

Elle comprit enfin le but que ce diable poursuivait en l'attirant ici. Et elle n'aima pas ça du tout.

CHAPITRE 3

Devant Phoebe, une mer de visages coléreux et écarlates ondoyait. La peur lui étreignait le cœur. Ses mains tremblaient, ses doigts s'agrippaient au bois du chariot.

La terreur qui l'envahissait glaçait le sang dans ses veines. Elle sentit ses genoux flancher et s'effondra, évanouie.

Lorsqu'elle rouvrit les yeux, un instant plus tard, un beau visage penché sur elle emplissait l'espace : mâchoire carrée, pommettes hautes, regard d'un gris métallique. *Vraiment pas un mauvais rêve*, pensa-t-elle.

Puis le sol se déroba, et sa tête retomba contre quelque chose de chaud et de moelleux. Elle réalisa alors que le beau garçon la soulevait, la portant comme une poupée.

Phoebe baissa les paupières un instant, espérant faire disparaître ses sensations de vertige. *OK, un étranger d'une beauté à mourir d'amour me porte dans ses bras. Et je suis nue, enveloppée dans un tissu soyeux, mais encore bien trop nue.*

L'homme se fraya un chemin à travers la foule jusqu'à son attelage.

— Mes sincères excuses, spécialement envers les dames.

Il s'exprimait d'une voix forte, pleine d'assurance. Phoebe sentait sa poitrine battre contre son oreille.

— Ce n'est pas du tout de cette façon que j'avais prévu que le bon peuple de Salem ferait connaissance avec ma chère sœur, mais elle est si simple d'esprit.

Il passa devant les trois femmes vêtues de noir, qui se contorsionnaient pour mieux les voir.

De qui parle-t-il? se demanda Phoebe.

— Je ne doute pas qu'elle soit arriérée, dit Face cireuse, mais votre sœur est également complètement nue, monsieur Montgomery.

Ah! voilà donc son nom. Phoebe prit bonne note de l'information.

— Je l'admets, mon bon ami, répliqua M. Séduisant-Montgomery.

Il déposa Phoebe sur le siège de la carriole, ajusta les plis de la cape et prit le temps de vérifier qu'elle était couverte d'une façon décente.

— Ma chère sœur, êtes-vous souffrante? Où sont vos affaires, vos vêtements?

Réalisant qu'elle était partie prenante du spectacle, Phoebe se raidit. Ces questions nécessitaient une réponse, et une bonne. Personne ne se contenterait d'une excuse standard du genre : « Le diable a escamoté mes affaires. »

Se penchant vers M. Montgomery, elle chuchota :

— On me les a volés !

— Volés ! répéta-t-il d'une voix si puissante que tous purent entendre.

Quelques femmes protestèrent. Puis le silence retomba dans la foule, tandis que tous les visages se tournaient vers Phoebe.

— Ma pauvre chère sœur ! (M. Montgomery enfouit son visage dans ses mains l'espace d'un instant, puis examina Phoebe.) Vous avez entrepris un si long voyage pour me rejoindre ! Et voilà qu'à votre arrivée, une bande de voleurs abuse de votre nature généreuse et simple !

— À propos de voleurs, intervint Face cireuse, j'aimerais bien récupérer mon tablier.

— Bien sûr, dit Phoebe, qui se dressa sur l'attelage bancal.

Elle mordit sa lèvre inférieure tout en luttant pour rester en équilibre et maintenir son corps caché sous la cape. Elle réussit enfin à faire glisser le tablier jusqu'à ses genoux et le rendit à son propriétaire. Il le tint en l'air entre deux doigts, l'air dégoûté, le gardant aussi loin que possible de lui.

— Hé ! je n'ai pas la gale, protesta Phoebe.

— D'où vient-elle ? grommela un homme dans la foule. Aucun bateau n'a accosté au port depuis presque un mois.

— Elle voyageait par voie de terre depuis Jamestown, expliqua calmement M. Montgomery. Elle devait épouser un jeune homme là-bas, mais, hélas, il est mort des suites d'une maladie durant les mois d'hiver. Elle a essayé de rester dans la colonie. Mais je crois que les bonnes gens de Jamestown ne pouvaient accepter les défaillances de son jugement.

— Et pourquoi les tolérerions-nous ? se plaignit une femme.

— Cela ne vous sera pas demandé, dit M. Montgomery. Je réclame votre clémence pour l'embarras dans lequel cette situation vous a plongés. Je conduis ma sœur chez nous. Je vous donne l'assurance que, à dater de ce jour, elle sera entre mes mains et sous ma protection. Elle ne représentera en aucune façon un souci pour vous.

— Si vous le dites, monsieur… maugréa la femme, hochant la tête d'un air sceptique.

Ce M. Montgomery était un menteur hors pair.

Phoebe l'observait, se demandant pourquoi il se donnait tant de mal pour une inconnue. Quelle en était la raison ?

Les villageois restèrent tranquilles, tandis que M. Montgomery grimpait à côté de Phoebe et saisissait les rênes de l'attelage.

— Bonne journée à vous tous !

Phoebe fut soulagée de s'éloigner de cette foule malveillante, mais elle éprouvait des difficultés à rassembler ses idées. Où l'emmenait cet homme ? Et pourquoi ? Plus important encore, comment allait-elle retrouver le démon et rentrer chez elle ?

— Nous n'avons pas encore eu l'honneur d'être présentés, fit l'homme, tournant vers elle ses beaux yeux gris. Je m'appelle Hugh Montgomery.

— Phoebe Halliwell, voilà tout ce dont je suis sûre, lui répondit-elle.

— Et d'où venez-vous, Phoebe Halliwell ? Je parie que ce n'est pas de Jamestown !

Phoebe se demanda jusqu'à quel point elle pouvait lui dire la vérité. Annoncer qu'elle venait du XXIe siècle n'était pas une bonne idée.

— Pour le moment, tout m'apparaît comme à travers un brouillard, je n'ai qu'un vague souvenir de ma situation, lui expliqua-t-elle.

Après réflexion, elle décida de s'en tenir à cette histoire de vol. Cela avait bien marché avec les villageois en colère, n'est-ce pas ?

— Ma tête me fait toujours mal, continua-t-elle, se frottant les tempes. Je dois avoir pris un sacré coup lorsque ces voleurs m'ont frappée.

— Vous avez donc dit vrai ?

Phoebe acquiesça.

— Et depuis le moment où ils m'ont attaquée, mes souvenirs sont plutôt embrouillés.

— Peut-être avez-vous besoin de repos, suggéra-t-il, et d'une tasse de tisane.

— Probablement, dit Phoebe. Vous savez, j'apprécie la façon dont vous avez arrangé les choses, là-bas, au village. Mais je dois savoir pourquoi vous l'avez fait – après tout, je ne suis qu'une étrangère... Ces gens auraient pu se retourner contre vous.

Les arguments de Phoebe le firent sourire.

— Les gens ne sont pas fous à Salem, nous avons des châtiments bien plus civilisés, quand cela est nécessaire.

Phoebe n'en crut pas ses oreilles.

— Salem, fit-elle en écho. Je suis à Salem ?

— Salem, Massachusetts, acquiesça-t-il.

Phoebe déglutit.

— Et, euh... en quelle année sommes-nous, s'il vous plaît ?

— 1676.

Phoebe sentit ses cheveux se dresser sur sa tête. Salem, à la fin du XVIIe siècle, était la capitale mondiale en matière d'extermination de « sorcières ». Si elle voulait survivre assez longtemps pour rentrer à la maison, elle avait intérêt à regarder où elle mettait les pieds.

— Allez-vous bien ? s'enquit Hugh. Votre visage a soudainement pâli.

— Je crois que je me sens toujours un peu... bizarre.

Et même terrifiée, se dit-elle en silence.

— Pourquoi avoir pris ma défense ? le questionna-t-elle de nouveau.

Le sourire de Hugh s'effaça tandis que son regard se portait au loin.

— Il y a quelques mois, une personne m'a aidé : la veuve Wentworth. Elle m'a donné à manger et un endroit où vivre. Je n'oublierai jamais sa générosité et je me suis juré de faire de même, si je rencontrais quelqu'un dans le besoin.

Ce garçon est parfait, pensa Phoebe, se sentant pleine de bons sentiments à l'égard de Hugh. *Dommage qu'il vive au mauvais siècle...*

— Avez-vous eu l'occasion de remercier cette Mme Wentworth ? demanda-t-elle.

Hugh sourit de nouveau.

— Je la remercie tous les jours et je vous conduis chez elle. Je m'occupe des animaux et du jardin.

— Oh, merveilleux ! Encore un étranger chez elle. Je suppose que la veuve Wentworth va m'adorer.

— Bien sûr. C'est une femme gentille et généreuse.

Ils atteignirent bientôt une clairière.

— Voici sa maison, dit Hugh en indiquant une modeste cabane de rondins au toit de chaume.

À quelque distance se tenait une petite étable, près d'un champ récemment labouré.

Le cheval les amena tout près de l'entrée. Le jeune homme sauta au sol et se hâta de faire le tour de l'attelage pour aider Phoebe, la traitant comme si elle était une porcelaine fragile. Non que ce comportement la gênât, mais cela la surprit un peu.

Hugh attrapa un panier à l'arrière de la carriole et se dirigea vers la porte de la maison. Phoebe se tenait droite comme un i.

Prépare-toi à rencontrer la veuve, s'encouragea-t-elle. Mais personne ne répondit lorsque Hugh frappa.

— Elle doit être sortie, dit-il en ouvrant doucement la porte. S'il vous plaît…

Il s'effaça et, d'un geste de la main, il l'invita à entrer.

Avec précaution, Phoebe s'avança dans la pénombre. La pièce sentait la fumée d'un feu de cheminée et le chèvrefeuille. Des odeurs agréables, somme toute. Devant elle se dressaient des meubles richement décorés. Un tapis de tissu coloré masquait le sol en terre battue. L'endroit était plaisant et accueillant. Un évier sans robinet occupait un coin de la pièce, ce qui signifiait qu'il n'y avait pas l'eau courante. Il n'y avait pas non plus de micro-ondes, de cuisinière ou de four. Pas plus que de téléphone.

Hugh sortit du panier quelques paquets bien emballés et les posa sur la table en pin.

— Des achats pour Mme Wentworth, expliqua-t-il. Des rubans, des boutons, du fil et une longueur de calicot.

Phoebe s'assit sur une chaise et regarda ses pieds.

— Avez vous froid ? demanda Hugh. Je vais allumer un feu.

Phoebe acquiesça et Hugh s'exécuta.

À la vue des plantations au-dehors, elle supposa que c'était le printemps. Après tout, ça aurait pu être pire, elle aurait pu se retrouver dans l'Arctique.

— Cela suffira pour chauffer la bouilloire, dit-il en s'essuyant les mains. Je vais ramasser un peu plus de bois. Restez ici et reposez-vous un instant. Nos amies vont bientôt revenir.

— Nos amies ?

— Ma bienfaitrice et sa fille, dit-il en se dirigeant vers la porte.

Dès qu'il fut sorti, Phoebe contempla le logis tout en s'apitoyant sur son sort.

— Mais qu'est-ce que je fais là ?

Elle se pencha en avant et heurta maladroitement une vasque posée sur la table. *Ne casse pas la porcelaine de la veuve*, se dit-elle.

Elle plongea la main à l'intérieur et effleura un objet curieux… Elle le sortit et découvrit un bijou en or, en forme de fin croissant… Ouah !

Tout à coup, elle fut assaillie par une vision. Un grand brasier, s'élevant jusqu'au ciel. Les flammes dansaient et ondulaient, enveloppant une femme dans leurs volutes colorées. Elle était jeune, blonde, belle. Un courage à toute épreuve illuminait son regard ; elle murmurait quelque chose. À son cou, pendait un bijou, le croissant de lune. Un frisson traversa son corps au moment où elle reconnut la femme. C'était son ancêtre, Melinda Warren, la première sorcière de la lignée Halliwell. Elle était apparue une fois pour aider les sœurs *Charmed* et Phoebe avait lu beaucoup de ses sortilèges dans *Le Livre des Ombres*.

La vision s'estompa alors que les flammes engloutissaient Melinda.

Après son procès, Melinda Warren avait été condamnée au bûcher en 1654. *Vingt-deux ans plus tôt*, songea Phoebe. Alors, que faisait son bijou à cet endroit ?

La veuve Wentworth avait-elle une quelconque responsabilité dans la mort de Melinda Warren ?

CHAPITRE 4

— Je me sens si coupable, gémit Piper tandis qu'elle suivait sa sœur aînée dans l'entrée de Halliwell Manor.

La vieille et lourde porte se referma derrière elles avec un déclic. Habituellement, ce son donnait à Piper l'impression d'être en sécurité mais, aujourd'hui, il résonnait de manière funèbre.

— C'est comme si on avait laissé Phoebe dehors.

— Nous allons agir, déclara fermement Prue. Au grenier, nous trouverons un sortilège dans *Le Livre des Ombres*, pour faire revenir notre sœur. Prenons le taureau par les cornes, ou plutôt, le démon.

— Je suis heureuse que quelqu'un maîtrise la situation.

Les talons de Piper claquaient sur le parquet ciré. Depuis que leur grand-mère leur avait légué cette maison, les trois sœurs avaient fait de leur mieux pour lui garder un aspect étincelant. La demeure, de style victorien, possédait chaleur, charme et, comme les filles l'avaient découvert, il y régnait une atmosphère magique.

Sans perdre de temps, Prue et Piper ôtèrent leurs vestes et se dirigèrent vers l'escalier pour monter directement au grenier. Là, sur un pupitre, reposait *Le Livre des Ombres*.

Piper traversa la pièce poussiéreuse pour allumer quelques bougies. Les flammes projetèrent bientôt des lueurs sur le bois brut des poutres. Les filles souhaitaient que la lumière repousse l'angoisse terrible contre laquelle elles luttaient depuis la disparition de Phoebe.

— Bon, allons-y. (Prue s'était déjà penchée sur le livre, parcourant les premières pages.) Nous avons une formule pour nous débarrasser des rats, une psalmodie pour le solstice d'été…

— Et rien sur les moyens de récupérer une sœur disparue ? dit Piper avant de déglutir avec difficulté.

Bien que tentée de rejoindre Prue, elle s'assit sur le canapé. Quand sa sœur aînée prenait la direction des opérations, elle n'appréciait pas vraiment qu'on la dérange.

— Donne-moi une minute, dit Prue en feuilletant rapidement l'ouvrage.

Piper se mordit la lèvre inférieure d'un air pensif. Ces dernières années, elle avait passé des heures à compulser *Le Livre des Ombres*, le lisant et l'étudiant, mais elle éprouvait quelquefois des difficultés à trouver ce qu'elle y cherchait. C'était bien différent d'une recherche sur ordinateur ou dans un dictionnaire.

— Ouah ! s'écria soudain Prue. Il y a une formule pour localiser une personne disparue !

Piper bondit et se précipita pour lire par-dessus son épaule.

— Oui, la voilà, dit Prue, montrant une série de lignes tracées d'une écriture ancienne. C'est parfait, laisse-moi regarder ce dont nous avons besoin.

Une trace de paternité,
Des vêtements si précieux,
Une mèche de cheveux,
Pour chercher tout près ou dans le lointain…

— Un objet de papa, les vêtements de Phoebe, et ses cheveux, énuméra Piper. Comment allons-nous réunir tout ça ?

Tout en tapotant le livre, Prue resta un instant plongée dans ses pensées.

— Voyons… (Elle pointa un doigt vers l'étage inférieur.) Sur sa brosse ou son peigne, il doit bien y avoir des cheveux.

Les sœurs se précipitèrent dans l'escalier. Prue se dirigea vers la chambre de Phoebe et Piper descendit jusqu'au vestibule pour récupérer le sac à dos contenant les habits de Phoebe.

— Voici ses vêtements, annonça-t-elle, à bout de souffle, en entrant dans la chambre de sa sœur.

Prue se tenait devant la coiffeuse et observait une pile de magazines.

— Et j'ai les cheveux, dit-elle. Mais la question de l'objet paternel me laisse perplexe. Je veux dire que nous n'avons rien de lui. Pourquoi aurions-nous quelque chose, d'ailleurs ?

— Tu as probablement brûlé toutes ses affaires.

— Absolument pas, je n'ai simplement rien gardé.

Parler de leur père était source de discorde, spécialement entre Prue et Phoebe. Pour Prue, il ne représentait rien. Il était sorti de leur vie lorsqu'elles étaient très jeunes et Prue l'avait entièrement effacé de sa mémoire. Phoebe avait toujours soutenu que Prue faisait erreur à son sujet.

Piper tentait de rester à l'écart de leur dispute, bien qu'il lui arrivât souvent de regretter son absence, rêvant d'entrer en contact avec lui.

— D'accord, Piper. Je lis dans ton regard. Tu possèdes quelque chose de papa, n'est-ce pas ? fit Prue d'un air provocateur.

Un petit sourire narquois se dessina sur les lèvres de Piper.

— Qu'est-ce que c'est ? demanda Prue.

— J'avais une photo de lui adolescent que j'ai donnée à Phoebe et…

— … et elle ne te l'a jamais rendue, finit Prue à sa place. Nous sommes si près de pouvoir faire cette incantation et de trouver Phoebe. Une nouvelle fois, nous pouvons remercier papa de nous perturber encore !

— D'accord, d'accord. Restons calmes et réfléchissons un peu. (Piper s'assit sur le lit de Phoebe.) Peut-être y a-t-il un portrait de lui dans un des albums de famille ?

Prue secoua la tête.

— Maman s'en est débarrassée.

— Des bijoux ? Des lettres ?

Prue faisait toujours non de la tête.

— Papa ne nous écrivait jamais. Tu ne t'en souviens pas ?

— Il doit bien y avoir quelque chose.

Les yeux de Piper se portèrent sur les billets glissés dans le cadre du miroir de Phoebe. C'étaient principalement des tickets d'entrée pour des spectacles, des parcs de loisirs ou des matchs de football.

— Le football ! (Piper se dressa sur ses pieds.) J'ai ce qu'il faut.

Elle ouvrit la porte de la garde-robe de Phoebe et saisit une boîte sur l'étagère supérieure.

— Je l'ai vue sortir cela de sa malle dans le grenier. (Piper retira un ballon de football de la boîte.) Il appartenait à papa et porte un autographe de Johnny Unitas, le Golden Arm.

Prue jeta un coup d'œil au ballon.

— Je me moque bien qu'il porte la signature de Johnny Unitas ou l'autographe d'Elvis. Il a appartenu à papa, c'est ce qui importe. (Elle le mit sous son bras et attrapa la brosse à cheveux.) Allons-y, acheva-t-elle en prenant la direction du grenier, suivie de Piper.

Dans les combles, Piper choisit une grande vasque de céramique peu profonde et y déposa la veste en cuir de Phoebe et le ballon de football, tandis que Prue extirpait de la brosse quelques cheveux emmêlés. Puis la cérémonie commença.

Piper se sentait oppressée par l'urgence de la situation. Ce sortilège réussirait-il à ramener Phoebe ? Non, il était seulement censé les aider à la localiser, à indiquer une piste.

Son cœur battait fort dans sa poitrine tandis qu'elle joignait ses mains à celles de Prue.

— OK, dit Piper d'une voix solennelle. Récitons la formule complète.

Une trace de paternité,
Des vêtements si précieux,
Une mèche de cheveux,
Pour chercher tout près ou dans le lointain,
Trouver notre Phoebe,
Montrer le chemin,
Déceler son esprit,
La trouver maintenant.

Rien ne s'était produit. Avaient-elles commis une erreur ?

— Répétons la dernière partie, dit Prue.

— « Trouver notre Phoebe, psalmodièrent-elles, montrer le chemin, déceler son esprit »…

Une douce brise souffla à travers le grenier.

— … « la trouver maintenant », achevèrent-elles.

Un souffle tourbillonna autour de la vasque. Le ballon de football bascula d'un côté, la veste s'éleva très haut au-dessus de la table, puis s'anima, comme portée par un mannequin. Les manches battaient l'air frénétiquement. Leur indiquaient-elles l'endroit où se trouvait Phoebe ?

Les cheveux qui flottaient dans les airs s'enflammèrent. L'odeur irrita Piper, qui se boucha le nez. Prue toussa, balayant la fumée de la main.

Aussi soudainement qu'il s'était levé, le souffle s'apaisa. La veste retomba dans la vasque et le ballon rebondit sur le sol.

— Qu'est-ce que ça veut dire ? interrogea Piper.

Prue consulta immédiatement *Le Livre des Ombres*.

— Bon. D'après le livre, le vêtement doit s'orienter dans une direction bien précise.

— Mais il ne l'a pas fait, nota Piper. Il a indiqué le nord, le sud, l'est, l'ouest et tout ce qui se trouve entre.

— Ce qui veut dire… (Prue reprit sa lecture.) Ce qui veut dire que la personne recherchée n'est pas proche de nous. Écoute : « Si le vêtement danse d'une façon indécise, le sortilège révèle que l'âme chère est très, très loin. » Voyons ce qu'il dit des cheveux qui ont brûlé ; cela doit avoir un sens.

— Un feu n'est-il pas un signe négatif, habituellement ? demanda Piper.

Comme Prue ne répondait pas, sa sœur se tourna vers elle.

— Prue, que se passe-t-il ?

Ses yeux bleus étaient noyés de pleurs tandis qu'elle gardait le regard fixé sur le livre.

— Qu'est-ce que cela dit, Prue ? insista Piper. Parle !

Prue hocha vigoureusement la tête, ravalant un sanglot.

— Ça ne dit rien du tout. C'est juste que... Je veux dire que, si Phoebe est...

— Non, protesta énergiquement Piper, secouant sa sœur par les épaules. Ce n'est pas possible, cela ne peut pas être, n'est-ce pas ? N'est-ce pas ?

Prue demeurait muette, prostrée. Elle se contenta de fermer les yeux, une larme glissa le long de sa joue.

Ni l'une ni l'autre ne prononcèrent le mot que Prue avait évité. Mais elles y pensaient toutes les deux.

Morte... Et si Phoebe était morte ?

CHAPITRE 5

L'image de Melinda Warren s'estompa, laissant Phoebe tremblante. Le porte-bonheur en forme de demi-lune tomba dans la vasque et la jeune fille enfouit son visage dans la cape soyeuse qui l'enveloppait.

Que pouvait signifier cette vision ? Cela faisait vingt-deux ans que son ancêtre était morte ! Alors pourquoi avait-elle eu une sensation si intense en touchant ce pendentif ? Le pouvoir de Phoebe ne s'activait jamais sans raison. Cela signifiait en général qu'elle était censée intervenir pour résoudre ou transformer la situation qui se présentait à elle. Aussi, que devait-elle faire dans le cas présent ?

Plongée dans ses réflexions, elle ne remarqua pas tout de suite que la porte s'ouvrait.

— Je te l'ai dit, maman, babillait une petite voix. Je peux ramasser plus de fleurs sauvages que n'importe qui. Et l'œuf dans ma poche ne s'est pas cassé, même lorsque j'ai couru.

Phoebe se redressa brutalement, surprise de voir une petite fille qui ne devait pas avoir plus de cinq ans entrer dans la maison, accompagnée d'une femme qui semblait du même âge qu'elle-même. Toutes les deux étaient blondes, avec une silhouette fine. Phoebe cligna des yeux. Était-il possible que cette jeune mère soit la veuve Wentworth ?

Phoebe s'était attendue à rencontrer une vieille dame arthritique à demi édentée, pas une jeune personne aussi belle et séduisante.

— C'est la chance qui a sauvé l'œuf, et non ton habileté, répondit la maîtresse de maison. (Elle leva les yeux et vit Phoebe.) Ô mon Dieu, j'espère que nous ne vous avons pas réveillée ? Hugh m'a dit que vous aviez besoin de repos, et nous voilà qui entrons en bavardant. (Elle se dirigea vers Phoebe.) Je m'appelle Prudence Wentworth, et voici ma fille Cassandra.

Phoebe sourit, elle portait le même prénom que Prue.

— Mon nom est Phoebe Halliwell.

— C'est vrai, au sujet des voleurs ? questionna Cassandra de sa voix flûtée. Ils ont pris vos vêtements ?

— Cassandra, retourne au poulailler pour ramasser tous les œufs, l'interrompit fermement Prudence.

— Oui, maman, dit poliment la petite fille, tout en gardant ses petits yeux curieux posés sur Phoebe, alors qu'elle reculait vers la porte puis s'en allait en courant.

— Je vous présente mes excuses. Cassandra est d'une nature très inquisitrice, expliqua la veuve Wentworth. Vous avez souffert d'une mauvaise fortune épouvantable, mais vous êtes la bienvenue ici. Avez-vous faim, voulez-vous une tasse de thé pour vous réchauffer ?

— J'aimerais beaucoup du thé. (La femme souleva la vasque et s'attarda un moment à toucher le porte-bonheur qu'elle contenait.) C'est très beau, dit Phoebe, saisissant au passage l'opportunité de l'interroger. Je veux parler du bijou, d'où le tenez-vous ?

Un voile de tristesse apparut dans le regard de Prudence. Se détournant de Phoebe, elle plaça le récipient et l'objet sur une petite table, contre le mur de la pièce, entre deux bougies.

Cela ressemble presque à un autel de sorcière, pensa Phoebe.

— Il appartenait à ma mère, répondit finalement Prudence.

Melinda Warren était sa mère ? *Comment est-ce possible ?* se demanda Phoebe. Puis, tout à coup, elle réalisa que cela faisait d'elle son aïeule, même si Prudence, née peu de temps avant que Melinda soit brûlée, en 1654, n'avait pas plus de vingt-deux ans.

Mais il était possible qu'elle mente au sujet du pendentif. Phoebe ne pouvait être sûre de rien pour l'instant, trop d'incertitudes subsistaient encore.

— Cela devrait vous suffire jusqu'à demain, annonça Hugh, entrant les bras chargés de bûches. (Il les plaça près du foyer.) Ah ! je vois que vous avez fait connaissance. Je vais vous préparer quelque chose de chaud.

Il souleva la bouilloire et la déposa sur le sol de terre battue.

— Non, pas pour moi, dit promptement Prudence. Pardonnez-moi, mais je ne peux plus supporter la tisane.

— Mais vous le devez, insista-t-il. Je ne veux pas que vous tombiez malade comme les autres.

— Vous êtes trop bon, monsieur Montgomery, murmura-t-elle.

Il traversa la pièce et lui toucha gentiment la main.

— Vous êtes si aimable, lui dit-il.

Comme c'est romantique, pensa Phoebe. Puis elle fronça les sourcils. *Attends une minute : ces beaux yeux gris ne brillaient-ils pas pour moi, un moment plus tôt ?*

Remarquant que Phoebe les observait, Prudence rougit et s'éloigna de Hugh.

— Oh ! vous êtes vêtue de la cape de Hugh, ma pauvre chérie. Il doit bien y avoir quelque chose dans mon coffre qui vous irait. Je dois pouvoir au moins vous trouver une robe.

Hugh saisit le bras de Prudence et l'attira à lui :

— J'ai dit à Phoebe que vous étiez une âme généreuse. Auriez-vous la bonté de lui permettre de rester un moment ? Elle pourrait vous rendre service en accomplissant quelques tâches ménagères.

— Bien sûr, nous ne renverrons jamais un être dans le besoin, dit Prudence.

Ses yeux ressemblaient tant à ceux de Prue : la franchise, le calme et la compassion s'y lisaient. Cela donnait plus encore à Phoebe l'envie de rentrer à la maison.

— Avant tout, dit Prudence, je dois aider Phoebe à se vêtir.

Et elle sortit de la pièce.

Pendant ce temps, Hugh versa l'eau de la bouilloire dans de grandes tasses de terre cuite. Ensuite, il prit un assortiment de racines séchées qu'il mit dans un morceau de tissu fin dont il fit un sachet.

— Que faites-vous ? s'enquit Phoebe.

— De la tisane pour Prudence, dit-il. Vous en voulez ?

Une odeur déplaisante se dégagea de la mixture, semblable à celle d'une paire de chaussettes mouillées, tandis que les racines infusaient.

— Non, merci. Je préfère le thé.

— Prudence a besoin de cette infusion, continuait Hugh, prenant une pincée de feuilles de thé dans un petit sac. Il y a eu une terrible maladie dans un village voisin, et elle y a été exposée. Ceci éloigne les germes.

Si l'odeur ne vous achève pas d'abord, songea Phoebe.

Hugh tendit sa boisson à Phoebe, qui ajustait la cape de façon à sortir une main pour s'en saisir. Elle remarqua les yeux de Hugh fixés sur elle, un léger sourire se dessinant sur ses lèvres.

— Ma cape n'a jamais été aussi honorée, dit-il.

Phoebe lui lança un regard sceptique. Ce type la draguait ouvertement !

Elle se demandait à présent s'il était réellement amoureux de sa bienfaitrice.

— J'ai trouvé deux robes qui devraient vous aller, mais venez choisir, proposa Prudence, depuis le pas de la porte.

Lançant un regard sévère à Hugh, Phoebe se leva et serra la cape si étroitement qu'elle dut presque sautiller pour rejoindre Prudence. C'était une chose de tomber dans les bras d'un sauveteur aux yeux gris acier, c'en était une autre de marcher sur les plates-bandes de quelqu'un, surtout si cette personne pouvait être votre ancêtre.

Prudence avait étendu deux robes sur le lit : une noir et gris, l'autre bleu marine. *Laquelle prendre ?* hésita Phoebe. Finalement, elle convint avec Prudence que la bleu marine était celle qui lui irait le mieux.

Prudence sortit de la pièce et revint avec une bouilloire et une cruche.

— Vous pouvez utiliser ceci pour vous laver, dit-elle en mélangeant l'eau froide et l'eau chaude dans une large vasque.

— Merci pour tout ce que vous faites.

— Ce n'est rien, vous êtes la bienvenue, lui assura Prudence. Je serai de retour pour vous aider dans quelques instants.

Phoebe prit le morceau de tissu que Prudence lui avait laissé et commença à nettoyer son corps nu couvert de poussière. Un autre compte à régler avec ce démon, lorsqu'elle s'attaquerait à lui.

Phoebe examina les sous-vêtements posés à côté de la robe : une liquette et une combinaison longue, les deux faites de mousseline grossière, et des bas de laine épais.

Puis elle s'habilla et se regarda, étonnée. Cette tenue lui moulait bien les épaules, mais elle lui était plutôt large à la taille.

Prudence l'avait-elle portée lorsqu'elle était enceinte de Cassandra ? *Super*, pensa Phoebe, *des vêtements de maternité !*

La porte de la chambre s'ouvrit soudain et Prudence entra, une aiguille et du fil à la main.

— Tournez-vous, dit-elle avec un sourire. Je vais la reprendre.

— Merci.

Phoebe s'exécuta et empoigna l'épaisse colonne du lit à baldaquin.

— Qu'est-il arrivé à vos doigts ? demanda Prudence.

— Pardon ?

Phoebe examina ses doigts : ils lui paraissaient parfaitement normaux.

— Non, l'autre côté. (Avec délicatesse, Prudence lui retourna les mains.) Vos ongles saignent.

Tout d'abord, Phoebe resta sans voix, puis comprit que son aïeule faisait allusion à son vernis à ongles ! Personne ici n'avait jamais rien vu de pareil.

— Ils ne saignent pas, lui assura Phoebe. Ils sont… peints.

Mais devant l'étonnement de Prudence, elle improvisa.

— Je faisais de la peinture et m'en suis couvert les mains. J'ai nettoyé ma peau, mais pas les ongles.

Prudence la dévisagea, ébahie.

— Êtes-vous sûre que cela ne vous fait pas mal ?

— Absolument, dit Phoebe tout en pensant qu'elle devrait désormais cacher ses mains aux villageois.

— Très bien, alors, laissez-moi vous aider à vous habiller.

Tandis que Prudence formait quelques plis au niveau des hanches, elle parla de Cassandra et de l'aide considérable que Hugh lui apportait depuis son arrivée à Salem.

Propre et convenablement vêtue, Phoebe commençait à se sentir mieux. Elle avait eu de la chance de sympathiser avec Prudence, qui lui paraissait être une femme chaleureuse. Peut-être était-elle vraiment son arrière-arrière-arrière-arrière-grand-mère, pensa-t-elle tandis que Prudence s'efforçait de coiffer ses cheveux en chignon.

Phoebe espérait très fort que ce soit vrai, parce que cela voudrait dire que Prudence était aussi une sorcière. Elle saurait comment manipuler les villageois hostiles. D'autre part – les yeux de Phoebe s'agrandirent à cette pensée –, *Le Livre des Ombres* devait avoir été transmis à Prudence par Melinda ici même.

Phoebe sentit son cœur battre plus vite.

— Voilà, fit Prudence en posant la brosse. Vous êtes magnifique, dit-elle en la regardant. Avez-vous besoin d'autre chose ?

— Juste un peu d'aide pour éliminer un démon, murmura Phoebe.

Si elle s'en ouvrait à Prudence, cette dernière pourrait sans doute l'aider. Peut-être connaissait-elle un sortilège qui lui permettrait de combattre la créature et de retourner au XXIe siècle ?

— Il y a quelque chose que vous devez savoir, commença Phoebe, c'est à propos de moi…

— Oui, Phoebe ?

— Eh bien, voilà, je ne suis pas vraiment…

Phoebe s'arrêta au milieu de sa phrase. L'enjeu lui paraissait trop grave pour tout avouer : et si Prudence était une puritaine typique de Salem, le genre de personne qui croit que les sorcières doivent être condamnées à mort ?

— S'il vous plaît, parlez, l'encouragea Prudence, lui serrant gentiment l'épaule. N'ayez pas peur.

Mais Phoebe ne put s'y résoudre.

— Je voulais vous remercier de m'avoir accueillie. Voilà !

— Vous êtes la bienvenue, répéta Prudence. Je crois que nous allons devenir de bonnes amies, Phoebe Halliwell.

Ne t'attache pas à moi, songea Phoebe, *car dès que possible, je retournerai chez moi, dans mon siècle.*

— Ce doit être bien pénible de perdre la mémoire, la plaignit Prudence. Notre passé ne façonne-t-il pas notre avenir ?

À ces mots, Phoebe se redressa. Elle avait vu suffisamment de films sur les voyages dans le temps pour donner raison à Prudence. Elle savait que si elle n'agissait pas de la bonne manière, le futur serait modifié – le futur où ses sœurs vivaient en ce moment même !

Ses sœurs. Elle regrettait qu'elles ne soient pas là pour l'aider. Elles étaient si loin…

CHAPITRE 6

L'odeur du chèvrefeuille et de l'herbe emplissait l'air. Au loin, les oiseaux pépiaient. Tout indiquait qu'un beau matin de printemps débutait. Phoebe se retourna dans son lit. Aïe ! Sur quoi dormait-elle ?... un sac de maïs ?

En ouvrant les yeux, elle se rappela à quel point elle se trouvait loin des siens. *Phoebe, tu n'es plus à San Francisco*, se dit-elle tandis qu'elle se redressait, appuyée sur un coude. *Tu es dans la chambre de Prudence Wentworth, étendue sur une paillasse, dans un autre siècle.*

Elle regretta le confort douillet de Halliwell Manor. Mais pour le retrouver, beaucoup d'épreuves l'attendaient. Et, en premier lieu, il lui fallait mettre la main sur le démon et l'éliminer. Alors, seulement, elle pourrait rentrer chez elle – si son chez-elle existait toujours. *Pas d'urgence*, pensa-t-elle, tout en s'étirant et en bâillant.

La nuit dernière, tandis qu'elle s'endormait, Phoebe avait imaginé un stratagème qui ne laisserait planer aucun doute sur la vraie nature de Prudence, et qui consistait dans un premier temps à trouver *Le Livre des Ombres*. Si Prudence était bien la fille de Melinda Warren, elle devait posséder le manuscrit.

Ce matin, Phoebe avait de la chance. Les lits de Prudence et de Cassandra étaient vides. Elle se leva rapidement et souleva le matelas, regarda sous le sommier, puis dans toute la pièce. Rien. Elle se dirigea vers une commode. Elle inspectait une pile de linge en lin dans un tiroir lorsqu'elle entendit des voix à côté.

— Phoebe ? appelait Prudence.

Son visage s'empourpra. Elle remit vite en place les vêtements et se retourna.

— Je viens, répondit-elle.

— Bonjour à vous ! lança Hugh de sa voix chaleureuse.

Il se tenait près du feu et buvait une tasse de thé, tandis que Cassandra, assise à la table, confectionnait une pelote de laine. Sa mère retirait du feu une grille d'acier sur laquelle reposaient deux épaisses tranches de pain.

— J'ai déjà nourri les poules, ramassé le maïs et trait les vaches, dit Hugh en adressant un clin d'œil à Phoebe. Tout cela avant que vous ouvriez vos beaux yeux bruns.

Son sourire insolent dérangeait Phoebe. Il lui faisait encore des avances et, cette fois, devant son amie !

Choisissant de l'ignorer, elle se tourna vers Prudence, qui lui préparait une tartine couverte de pommes cuites.

— Il plaisante, n'est-ce pas ? demanda Phoebe tout en s'asseyant et en entamant son petit déjeuner. Vous n'avez pas de vaches ?

— Si, rétorqua sèchement Prudence, mais le maïs ne sera pas récolté avant juillet ou août. (Elle prit un pichet d'eau et le remplit.) Nous avons besoin d'eau, soupira-t-elle.

— Asseyez-vous, Prudence, dit gentiment Hugh. Finissez votre tisane. Phoebe peut aller en chercher.

— Il y a beaucoup de tâches ménagères que Phoebe va pouvoir faire, lança Prudence. Et dormir tard le matin n'est pas l'une d'entre elles.

Ouahou ! pensa Phoebe. *Quel changement depuis hier !*

— Mmm... oui ! Je peux y aller, confirma-t-elle.

Elle ne comprenait pas pourquoi Prudence était de si mauvaise humeur, mais elle ne voulait pas laisser les choses s'envenimer. Elle attrapa deux seaux en bois.

Dehors, le soleil réchauffait déjà le sol humide. Elle fit quelques pas, s'arrêta, puis retourna à la cabane de rondins. Poussant la porte, elle cria :

— Au fait, où est-ce qu'il y a de l'eau ?

— Au ruisseau, répondit Hugh ; passez le poulailler, prenez la direction de l'étable, descendez la colline et vous en trouverez après les rochers.

— D'accord, lança-t-elle avant de s'éloigner.

Misère ! Cette vie de colon comportait vraiment des inconvénients.

Les indications de Hugh étaient faciles à suivre, mais une fois les seaux remplis, elle peina à remonter le chemin. Ses mains lui faisaient mal, l'eau giclait sur le bord de sa robe, les muscles de ses bras commençaient à être douloureux.

Elle entendit soudain un bruit derrière elle. Regardant par-dessus son épaule, Phoebe vit le démon hideux qui l'avait amenée là, son horrible peau verte suintant au soleil.

Phoebe trébucha puis posa son fardeau.

— Je vous ai fait peur, susurra-t-il avec un sourire baveux.

— Oui, c'est un peu rude de surgir comme ça.

En vérité, elle était morte de frayeur et tremblait de tous ses membres. Mais cette rencontre représentait l'opportunité qu'elle attendait : détruire cette créature pour toujours. Seulement, elle n'était pas prête. Elle ne connaissait ni envoûtement ni malédiction, et n'avait pas la moindre arme pour le combattre.

— Ne craignez rien, gronda-t-il. (Sa chair putride frémissait, tandis qu'il parlait.) Je ne vous ferai aucun mal. En tout cas, pas maintenant. J'ai un plan à long terme qui est bien plus efficace.

— Je l'aurais parié !

— Je sème aujourd'hui des graines, expliqua-t-il. Des graines qui vont prendre racine et donneront une plante grimpante et vénéneuse, qui vous torturera, vous et toutes les générations futures de votre famille. Vous serez toutes des créatures du Mal !

Phoebe pensa immédiatement à ses sœurs, à leur mère et à Grams. Ce diable pouvait-il vraiment mettre ses menaces à exécution ?

— À la fin, *je vous détruirai*, prononça-t-il. Lentement, méthodiquement.

Luttant contre sa peur, Phoebe recula. Elle n'allait pas être assez stupide pour le sous-estimer une fois de plus.

Il pointa vers elle un doigt vert et tordu. Dans un sifflement, une ligne de feu s'abattit à ses pieds. Les flammes l'avaient manquée, mais elle sentait leur chaleur surnaturelle à travers le cuir des chaussures prêtées par Prudence.

— Vous avez dit que vous ne me causeriez aucun problème aujourd'hui, lui rappela-t-elle.

— Je mentais, il faut croire.

Dans le même temps, il fixa le sommet de la colline où l'on pouvait apercevoir, près de la grange de Prudence, une botte de foin qui prit feu instantanément. La jeune fille, horrifiée, regardait le triste spectacle. Elle s'élança vers les habitations, à l'instant où un brandon était emporté par la brise du matin, en direction de l'étable.

Phoebe se décida à aller récupérer ses deux seaux d'eau. Elle regarda de nouveau le bâtiment et pensa immédiatement au toit de chaume.

C'était affreux ! Si elle ne tentait rien, tout ce que Prudence possédait disparaîtrait en quelques minutes !

Son cœur lui martelait la poitrine, tandis qu'elle luttait pour porter les lourds seaux d'eau. Si seulement elle pouvait figer le temps comme Piper ! Le vent ne l'aidait pas. Dans un souffle, il déposa les braises brûlantes sur le toit de l'étable. Les yeux de Phoebe s'agrandirent d'horreur.

— Non ! cria-t-elle en se mettant à courir.

Les muscles de ses épaules et de ses bras la brûlaient. Une fumée noire s'éleva de l'herbe sèche, irritant ses yeux et sa gorge. Prise de quintes de toux, elle battait des paupières, les yeux pleins de larmes. Elle sentait la chaleur suffocante sur son visage. Pourtant, elle se força à continuer sa course.

Phoebe sauta en arrière tandis que de la paille s'enflammait près de ses pieds, à quelques centimètres de sa longue robe bleu marine. La porte de la maison s'ouvrit à cet instant. Prudence et Hugh se ruèrent dehors, puis s'immobilisèrent, saisis à la vue du feu qui progressait rapidement.

— C'est vous qui avez fait cela ! cria Prudence à Phoebe.

Son visage exprimait de la rage et ses yeux lançaient un regard assassin.

Phoebe secoua la tête, furieuse, mais ce n'était pas le moment de s'expliquer.

— Reste au loin, horrible fille, vociféra Prudence, lui arrachant les seaux d'eau des mains. Reste loin de ma propriété !

Elle les vida sur une botte de paille enflammée. Puis, elle se précipita pour attraper des outils appuyés contre le mur. Hugh réagit rapidement, utilisant une fourche pour dégager du toit le chaume en feu. Phoebe s'empressa de lui prêter main-forte et, suivant ses instructions, elle s'empara d'une pelle et s'attaqua au brasier.

— Il nous faut de l'eau ! cria Prudence.

Phoebe courut vers le ruisseau avec un seau, le remplit et le rapporta. Elle fit des allées et venues jusqu'à ce que le feu soit maîtrisé.

L'étable était sauvée. Soulagée, Phoebe s'approcha de Prudence, qui tremblait de rage.

— Êtes-vous devenue folle ? tempêtait-elle. Je vous envoie chercher de l'eau et vous mettez le feu à la grange !

— Ce n'est pas moi qui ai fait ça, rétorqua Phoebe.

Elle aurait souhaité ne pas paraître si en colère, mais elle avait eu très peur.

— Je suis sûr que c'était une erreur, dit Hugh, se tenant les mains à la manière d'un prêcheur. Patience, chère Prudence… Que pouvons-nous espérer d'une femme simple d'esprit qui ne se rappelle même pas son passé ?

Phoebe ne savait comment interpréter ces paroles. D'un autre côté, que pouvait-elle dire pour sa défense ?

— Une simple d'esprit, vraiment, continua Prudence, posant son outil contre le mur. (Elle repoussa en arrière une mèche de cheveux blonds, qui s'était détachée de sa coiffure. Ses yeux bleus d'une froideur glaciale fixaient Phoebe.) Une erreur de plus, et ce sera vous qui brûlerez, Phoebe Halliwell.

Tout en regardant Prudence marcher en direction de la maison, Phoebe soupira. Quelque chose n'allait pas, avec cette femme. De bonne humeur ou pas, elle était totalement différente de la personne gentille et généreuse qui l'avait accueillie la veille.

— Vous êtes la bienvenue, murmura Phoebe, piétinant une braise rougeoyante.

— Ne faites pas attention à ce qu'elle dit, la rassura Hugh.

Il passa son bras autour de sa taille et se pencha pour chuchoter à son oreille :

— Une jeune et jolie personne telle que vous ne devrait pas avoir à éteindre des braises.

— Pardon ? fit Phoebe en se tortillant pour se dégager de son étreinte. Que pensez-vous être en train de faire ?

Elle ne pouvait croire qu'il l'entreprenne de cette façon, alors que Prudence venait de les quitter.

Le regard de Hugh ne se détachaient pas de son corps, donnant à Phoebe encore plus envie de lui échapper. Ce type était un pot de colle, ou quoi ?

— Vous jouez la difficile, ironisa-t-il avec un large sourire. Mais vous n'avez pas à être prude avec moi. Ne nous connaissons-nous pas très bien ? Mes yeux n'oublieront jamais que je vous ai vue nue au milieu du village, admirant chaque parcelle de votre peau douce et tendre.

— Il serait peut-être temps que vous ayez une petite amnésie temporaire, dit Phoebe en reculant. De plus, je crois que Prudence est vraiment bouleversée. Pourquoi n'iriez-vous pas la réconforter ? Faites-lui une tisane ou quelque chose d'autre.

— Excellente idée, admit Hugh d'un air entendu. Nous devons rendre Prudence heureuse, si nous voulons qu'elle nous permette nos petits jeux.

Le seul jeu auquel nous allons jouer, espèce de ver de terre, c'est à cache-cache ! pensa Phoebe. *Et bonne chance pour me dénicher.*

Plein d'espoir, Hugh fit demi-tour et se dirigea vers la maison.

Une fois un problème résolu, un autre se profilait dans l'ombre. Phoebe scruta l'horizon. Où ce démon apparaîtrait-il la prochaine fois, et quel était son plan, exactement ?

Quoi qu'il veuille faire, elle devait l'arrêter. Avant qu'il ne la retrouve.

CHAPITRE 7

Prue flanqua un billet de vingt dollars dans la main du livreur et lui claqua au visage la lourde porte d'entrée. Elle ne faisait plus du tout preuve de patience.

Elle se précipita dans la cuisine, prête à dévorer n'importe quoi. Il lui semblait que, ces temps-ci, elle était en permanence affamée. Cela avait sans doute un rapport avec le sentiment de vide qu'elle éprouvait depuis la disparition de Phoebe. Dommage que l'odeur qui s'échappait des sacs ne soit pas plus appétissante.

— Qu'as-tu commandé ? lança-t-elle à Piper qui feuilletait un livre de recettes, assise à la table de la cuisine.

— Je t'ai dit que je commandais des plats chinois.

— Et je t'ai répondu que je n'étais pas d'humeur à manger chinois.

Prue croisa les bras, furieuse.

— Peu importe, grogna-t-elle en tirant violemment sur un tiroir.

Il sortit de sa coulisse et tomba par terre. Les couverts s'entrechoquèrent sur le sol.

— Je t'avais dit qu'il était cassé.

— Et je t'ai dit de le faire réparer ! répliqua Prue. De toute façon, qui a besoin de couverts quand des baguettes font aussi bien l'affaire ? lança-t-elle en en sortant une paire d'un des sacs.

— Vas-tu ranger tout cela ? lui demanda Piper en désignant l'amas de couteaux et de fourchettes répandu sur le carrelage.

Prue haussa les épaules.

— Quel intérêt ? Le tiroir est cassé.

— Le tiroir est cassé, reprit Piper, mimant sa sœur en grimaçant. Alors, on peut tout laisser comme ça ?

Prue mordit dans un nem croustillant. Les jours passés s'étaient déroulés en une suite de querelles mesquines et Prue en devenait malade. Piper devrait cesser de se comporter comme une petite grincheuse geignarde.

— Qu'est-ce qui ne va pas chez toi ? demanda Prue.

— Rien, lâcha-t-elle. C'est-à-dire *tout*. Tout va de travers, non ?

Prue se lécha les doigts. Piper pouvait se montrer si mélodramatique quand elle le voulait.

— Rien de nouveau, là-dedans. Les choses ne tournent jamais rond pour la pauvre, pauvre Piper, n'est-ce pas ?

— Arrête ! Tu sais bien qu'on ne cesse pas de se disputer depuis que Phoebe a disparu.

— C'est vrai, admit Prue.

— Tout ce bazar a commencé par ta faute, déclara Piper. C'est toi qui as voulu aller à la galerie marchande. Tu aurais pu choisir un autre jour, non ? Si tu l'avais fait, rien de tout cela ne se serait produit !

— Moi ? (Prue eut subitement envie d'envoyer les nouilles froides au sésame sur le chemisier de sa sœur.) Oh, bien sûr, c'est aussi à cause de moi si tu n'as pas pu rester debout lorsque ce sorcier t'a balancé ce cageot ?

— Ça n'avait rien de grave ! insista Piper. Tu aurais dû suivre Phoebe.

Prue lança un regard furibond à sa sœur.

— N'imagine surtout pas une seconde que tu vas me faire porter le chapeau, Piper, parce que je ne veux pas être tenue pour responsable de ce qui s'est passé, d'accord ?

— Que t'arrive-t-il ? articula Piper d'une voix tremblante. Pourquoi es-tu si dure ?

Oh ! s'il te plaît ! pensa Prue. Si Piper fondait en larmes une fois de plus, elle allait se mettre à hurler. Il n'était pas facile de vivre avec Mademoiselle Sensible. Ces jours-ci, Piper semblait uniquement capable de gémir sur le sort de la pauvre Phoebe. Prue était tout aussi inquiète à son sujet, mais tandis que Piper se lamentait, elle se sentait plus encline à saisir une épée et à passer à l'attaque.

— C'est si horrible, geignait Piper d'une voix plaintive. Je ne peux plus me concentrer sur mon travail. Le club m'apparaît comme un magma de bruits assourdissants et de visages flous. Tout ce à quoi je pense, c'est à Phoebe et à la façon dont nous l'avons laissée aller là-bas... on ne sait où. (Elle posa sa tête sur la table.) Je ne peux vivre ainsi.

Prue sentit sa colère s'évanouir. Voir Piper brisée par l'émotion lui était insupportable.

— Écoute, dit-elle gentiment, nous allons faire revenir Phoebe. Il doit bien y avoir quelque chose à tenter.

Piper soupira.

— Nous avons fait des recherches jour et nuit dans *Le Livre des Ombres*. Je ne pense pas qu'il existe une formule pour trouver quelqu'un qui est sous l'emprise d'un tel sortilège.

— J'aimerais mettre la main sur ce démon, fulmina Prue, de nouveau furieuse. (Elle retourna à la table et prit un autre nem. Elle le pointa en direction de Piper et déclara :) Tu abandonnes trop facilement. Nous devons retourner consulter le livre.

— D'accord, déclara Piper en levant la tête. Et te voilà encore qui commandes. Ne peux-tu pas t'en empêcher ?

— Non, commenta Prue d'une voix plate. Viens, allons au grenier.

Prue mâchait toujours son nem lorsqu'elle ouvrit *Le Livre des Ombres*. Zut, une empreinte graisseuse apparut sur l'une des pages ; en temps normal, ce genre de détail l'aurait ennuyée, mais aujourd'hui... Après tout, elle devait bien manger. Elle s'essuya les mains sur son jean et continua à feuilleter le manuscrit.

Piper s'écroula sur une chaise, près d'une vieille machine à écrire, et gémit :

— C'est sans espoir.

Prue foudroya sa sœur du regard, puis se replongea dans sa lecture.

Elle tomba sur un sortilège visant à apprivoiser les animaux. Quelque chose dans son contenu lui parut étrange. Prue cligna des paupières en regardant les mots. Ils semblaient flotter devant ses yeux.

— Ce n'est pas possible, murmura-t-elle.

— Quoi ? demanda mollement Piper.

— Ce charme... il est en train de changer.

Elle regarda les lettres s'étirer et rétrécir, puis s'ordonner en un nouvel ensemble de mots.

— Il change ? Comment ?

Prue fixa le livre.

— Lorsque j'ai ouvert cette page, il s'intitulait : « Pour dresser les animaux », mais, maintenant, il porte l'inscription : « Pour mutiler les bêtes ».

— Tu dois te tromper, avança Piper.

— *Mutiler* les bêtes ! répéta Prue. C'est bizarre.

— Quoi donc ?

— Rien. Ne t'en fais pas, dit Prue pour faire taire sa sœur.

Elle ne se sentait pas d'humeur à argumenter avec Mademoiselle Plaintive. Puis elle retint sa respiration un moment tandis qu'elle lisait la formule magique. *Oui! Oui!*

— Ça y est, annonça Prue. (Elle montra du doigt le texte.) Regarde, Piper! C'est parfait!

Phoebe renifla la poussière et écarta les plumes qui voletaient, tandis qu'elle balayait vigoureusement le poulailler. C'était une des nombreuses tâches ménagères – et l'une des plus sales – qu'elle avait accomplies aujourd'hui.

Toute la journée durant, Prudence était entrée et sortie de la maison, tantôt conseillant à Phoebe de se reposer, tantôt lui intimant l'ordre de se remuer un peu plus. À chacun de ses passages, Phoebe découvrait une personnalité à double facette; gentille et généreuse, puis méchante et hargneuse. Le comportement de Prudence la déroutait tant qu'elle en venait à se poser des questions sur la lignée de ses ancêtres.

Le poulailler balayé, elle y ramena les poules.

— Allez, les filles, le dortoir est propre, maintenant. La prochaine fois que vous voudrez le salir, vous le nettoierez vous-mêmes.

— Que faites-vous? l'interpella Prudence depuis l'autre côté de la clairière. (Elle avait ensemencé le jardin avec Cassandra qui, à présent, suivait sa mère à une distance respectueuse.) Est-ce que je ne vous ai pas dit de couper le bois avant de balayer le poulailler ? continua-t-elle, les mains sur les hanches.

« En fait, vous ne l'avez pas fait », voulut répliquer Phoebe, mais elle se mordit la langue. Inutile de s'opposer à la « méchante jumelle » de Prudence.

Phoebe se contenta de poser le balai contre le poulailler et secoua la poussière de son tablier.

— Alors, où est le tas de bois ? demanda-t-elle.

Prudence indiqua l'arrière de la maison, puis s'apprêta à rentrer avec Cassandra.

Phoebe regarda ses mains ; elles étaient toutes rouges et couvertes d'ampoules. Elle sentait la fatigue dans ses jambes, sa gorge était sèche, et voilà qu'elle devait jouer au bûcheron !

Phoebe parcourut des yeux la forêt. Maintenant que le démon rôdait dans les parages, elle devait être prudente. Il pouvait surgir n'importe où, n'importe quand.

Avalant avec peine sa salive, Phoebe grimaça de douleur. Pour boire, elle devait entrer dans la maison et risquer la colère de Prudence. Elle tenta malgré tout sa chance.

Elle poussa la porte et vit Cassandra, blottie sur une chaise à côté de la cheminée, qui faisait la sieste.

Prudence se tenait agenouillée près de la petite table, sur laquelle étaient placés les bougies et le bol en bois. Les cierges allumés formaient un halo de lumière orangée autour de ses cheveux. Penchée sur un grand livre, elle était immobile et tranquille, totalement absorbée par ce qu'elle y écrivait.

Tout en fermant la porte derrière elle, Phoebe jeta un coup d'œil. C'était *Le Livre des Ombres*.

La jeune fille s'approcha et lut le titre du sortilège : « Pour mutiler les bêtes ».

Mutiler ? Comme c'était étrange… Phoebe n'avait pourtant aucun souvenir d'un sortilège parlant de mutilation. Mais vraiment, quelle importance cela avait-il ? Le manuscrit existait bel et bien. Cela signifiait que Prudence était une sorcière, mais aussi son ancêtre. Peut-être pourraient-elles travailler ensemble pour découvrir comment détruire le démon, et pour renvoyer Phoebe chez elle.

De soulagement, Phoebe faillit se laisser tomber près de Prudence.

— Bénissez-moi, dit-elle doucement, se servant de la phrase traditionnelle utilisée par les sorcières à travers les siècles.

Prudence tressaillit, puis regarda Phoebe avec une expression de surprise.

— Quoi ? Pourquoi dites-vous cela ? fit-elle d'une voix haletante.

— Le livre, répliqua Phoebe. Je vois que vous écrivez dans *Le Livre des Ombres*. Je sais que c'est difficile à croire, mais je comprends, parce que…

— De quoi parlez-vous ? (Prudence ferma brutalement le volume et le serra contre sa poitrine.) C'est un livre de famille, des recettes qui viennent de ma mère.

— Il n'y a pas de problème, Prudence, lui assura Phoebe. Je connais les sortilèges et les pouvoirs. J'ai même...

— Il n'y aura aucune discussion sur ces mauvaises choses dans ma maison, riposta vertement Prudence. (Tenant toujours l'ouvrage contre elle, elle souffla les bougies et s'écroula sur une chaise près de la grande table.) C'est un livre de recettes familiales, rien de plus.

Froids, cassants, sans appel, les mots touchèrent Phoebe aussi durement que si on l'eût frappée avec la poêle en fonte qui reposait dans la cheminée. Pourquoi donc, chaque fois qu'elle faisait un pas vers Prudence, était-elle systématiquement repoussée ?

Phoebe se releva et brossa le bas de sa robe. Elle allait retourner dehors pour finir de couper le bois. Cela n'avait aucun sens d'insister, au risque de heurter Prudence. Mais maintenant qu'elle avait vu le grimoire, elle ne pourrait plus s'en éloigner. Il lui était si familier, comme un ami très cher. Elle mourait d'envie de le toucher, de le consulter, mais cela pouvait lui valoir un sérieux retour de bâton.

Il lui parut plus judicieux d'attendre pour s'en emparer que Prudence ne soit plus dans les parages.

Fermant les yeux, Phoebe essaya de visualiser l'information qu'elle cherchait. Tout ce qu'elle voyait, c'étaient des lettres et des pages brunies sur les côtés.

— Je vous demande pardon, dit Prudence, mais n'avez-vous pas du bois à couper ?

— Si. Je suis juste venue pour boire quelque chose.

Phoebe revint à la réalité. Elle prit un pichet, se versa de l'eau, puis but au gobelet sans quitter Prudence des yeux.

Tu peux jouer la modeste avec moi, sœurette, pensa-t-elle, *mais j'ai vu le livre. Je le retrouverai plus tard, où qu'il soit, d'une manière ou d'une autre.*

Peut-être y découvrirait-elle le sortilège qui éliminerait le démon et qui lui permettrait de rejoindre ses sœurs.

Le plus difficile, pour l'instant, c'était de mettre la main dessus.

CHAPITRE 8

— Un sortilège pour convoquer les sorciers ! s'exclama Prue. Je ne peux croire qu'il m'ait échappé !

Piper se leva, jeta un coup d'œil sur la page, puis haussa les épaules.

— Quel intérêt ?

Elle s'étendit sur un tapis et fixa le plafond.

Ignorant sa remarque, Prue se mit à lire.

— Hum, murmura-t-elle. Si tu cherches un sorcier en particulier, la formule doit être prononcée là où il s'est manifesté pour la dernière fois.

Piper frissonna.

— D'une manière ou d'une autre, je ne crois pas que retourner dans cette ruelle soit la meilleure idée.

Prue fronça les sourcils.

— Voyons ce que dit cette formule magique.

Elle lut la liste des ingrédients. Celle-ci comprenait toutes sortes de choses, depuis des épines de roses en passant par des rognures d'ongles et des bougies blanches. Par chance, il n'y avait rien qui nécessitât une longue recherche. Sur la page opposée était dessiné un homme monstrueux, plié en deux, avec comme légende : « Potions et sorts pour chasser et anéantir les sorciers ».

— Oh ! il y a là également tout ce qu'il faut pour se débarrasser des démons, commenta Prue. J'aurais aimé trouver cela avant.

— Hé ! Prue, je voudrais bien savoir quel est le lien avec Phoebe ? demanda Piper.

Serrant *Le Livre des Ombres* entre ses bras, Prue rejoignit sa sœur. Elle s'assit sur le sol du grenier, l'épais volume posé sur les genoux.

— Un démon a fait *quelque chose* à Phoebe. Qu'il lui ait jeté un sort ou l'ait expédiée à Tahiti, cette créature aux yeux jaunes a un rapport avec la disparition de notre sœur.

Piper lui lança un regard furieux.

— Dis-moi quelque chose que je ne sache pas déjà…

— Eh bien, s'il est la clé du problème, ne penses-tu pas que ce serait une bonne idée de le retrouver ? (Les ongles de Prue tapotaient la page ouverte du *Livre des Ombres*.) C'est un sortilège de localisation.

— Super ! s'exclama Piper. Donc, nous trouvons cet horrible démon qui a fait disparaître Phoebe, et après ? Nous le supplions d'annuler son enchantement ?

Prue prit une longue inspiration pour se calmer.

— Non, expliqua-t-elle avec patience. Nous le trouvons et nous le *forçons* à nous dévoiler comment la faire revenir. Il est question là de sa « destruction », qui représentera pour nous une arme décisive : ou il fait revenir Phoebe, ou il meurt.

La lueur qu'elle perçut dans les yeux bruns de Piper indiqua à Prue que sa sœur avait enfin saisi.

— Quand commençons-nous ? s'impatienta Piper.

Prue sourit.

— De combien d'épines de roses penses-tu que nous ayons besoin pour remplir un quart de tasse ?

En moins de temps qu'il n'en faut pour le dire, elles avaient rassemblé les éléments nécessaires à la formule et se trouvaient non loin de l'endroit où Phoebe avait disparu.

— Quelqu'un vient ! chuchota Prue.

Piper regarda l'homme qui approchait en contrebas. Il commençait à gravir les marches taillées dans la colline, et qui conduisaient à North Beach Alley. Il avait pourtant l'allure d'un type ordinaire, mais Prue était sur le qui-vive. Du fond de son cerveau, un signal d'alarme semblait clignoter : « Danger ! Démon en vue ! »

— Attention, nous ne devons pas l'effrayer, murmura Piper.

Une brise fraîche s'était mise à souffler, accompagnée de légers nuages qui enveloppaient tout un pan de Bay Bridge avant de se dissiper plus loin dans le ciel. Prue prit une profonde inspiration. Bien qu'elle ne voulût pas l'admettre devant Piper, elle éprouvait l'étrange pressentiment que quelque chose se produirait ce soir-là.

Elles allaient faire revenir Phoebe.

Prue gardait les yeux fixés sur l'escalier. Elle ne parvint pas à distinguer le visage de l'homme, mais elle vit qu'il portait une chemise noire et un trench-coat. Quelques minutes plus tard, il s'arrêta, balaya les alentours du regard, puis fit un geste de la main droite et disparut.

L'instant d'après, il réapparut à un tiers du sommet.

— Il est monté en un clin d'œil. (Prue serra le bras de Piper.) C'est un sorcier.

Prue sentit un changement s'opérer chez sa sœur. Son corps s'était soudainement raidi sous la tension. Cela signifiait probablement qu'elle était prête à combattre.

— Oh ! vous allez être si utile, dit Prue à voix basse, tandis que l'homme se dirigeait vers elles. Vous êtes exactement ce que nous avions demandé, je ne peux croire que le sortilège ait si bien marché.

— Et il est pile à l'heure, fit Piper, reculant dans l'ombre d'une porte. (Elle s'appuya contre le mur de marbre, la peur se lisait dans ses yeux sombres.) Es-tu sûre de ce que nous allons faire ?

Le démon n'était plus très loin des deux sœurs. Ce n'était pas le moment d'être effrayée. Prue s'approcha de Piper et chuchota :

— Que veux-tu dire exactement ?

— Nous avons promis d'utiliser nos pouvoirs pour faire le bien, tu te rappelles, et ne blesser personne, répondit la jeune fille. Maintenant, nous allons nous attaquer à quelqu'un qui n'a peut-être rien fait de mal.

— Quoi ?

— Et s'il ne s'agit pas du bon sorcier ? Le charme n'était pas très clair là-dessus…

— C'en est un, Piper. Et nous avançons pas à pas. C'est la seule façon de trouver la trace de Phoebe.

— Hum… Prue, ce n'est pas lui qui a emmené Phoebe, dit Piper en montrant l'homme du doigt.

Prue plissa les yeux. L'individu semblait en effet différent de la créature dont elle se souvenait. Mais quelle importance !

— Les sorciers traînent en général ensemble, comme s'ils formaient un club, se défendit-elle. Ce type peut connaître celui que nous cherchons. Il peut savoir quelque chose au sujet de Phoebe.

Sortant de sa cachette, Prue vit l'homme atteindre la dernière marche, puis tourner au sommet de l'escalier. Impatiente, elle bondit au-devant de lui. Il s'arrêta, la dévisageant d'un regard étonné.

Piper apparut une seconde plus tard, son visage empreint d'une détermination intense.

Voyant les deux sœurs, l'homme comprit immédiatement. Il recula et se mit en position d'attaque.

— Arrête-le ! ordonna Prue.

D'un claquement de la main, Piper suspendit le temps. Le démon s'immobilisa, ses pouvoirs magiques figés avant qu'il ait pu les utiliser.

Soulagée, Prue s'approcha de lui, ses bottes claquant sur le ciment.

— Bonsoir, bonsoir...

C'était un type un peu plus grand que la moyenne, avec d'épais cheveux argentés et des yeux d'un bleu profond. *Plutôt mignon*, songea Prue, *dommage qu'il soit possédé par le Mal.*

Elle le regarda méchamment : cet homme allait devoir payer pour ce qui été arrivé à Phoebe.

Piper vint se placer derrière elle, visiblement nerveuse.

— Bon, nous y sommes... Tu as une idée de ce que nous allons faire maintenant ?

Certainement, pensa Prue. Instinctivement, elle savait comment procéder.

Elle fit face à l'homme et plaça ses mains à plat sur sa poitrine. Celles-ci commencèrent à rougeoyer dans le crépuscule. C'était une scène stupéfiante.

— Prue ! cria Piper. Que se passe-t-il ?

Prue n'aurait su le dire, mais ce qu'elle ressentait était si incroyable qu'elle ne pouvait s'interrompre.

Elle percevait un début de mouvement... le gel du temps provoqué par Piper se terminait. Brusquement, le démon s'agita et se mit à hurler, le visage tordu de douleur et les yeux exorbités par l'horreur...

Imperturbable, Prue continua.

Une pellicule blanche semblable à de la cendre couvrait la peau du démon. Des rides sillonnaient son visage. Ses larges épaules et sa poitrine s'affaissaient. L'homme semblait s'assécher et se rabougrir comme un pruneau. Prue grimaça lorsque ses mains s'enfoncèrent dans la poitrine de la créature, mais ne recula pas. Elle ne pouvait se soustraire à l'horrible sensation qu'elle éprouvait.

— Aahrrrrggg !

La voix du démon était implorante et pathétique.

— Que se passe-t-il ? insistait fébrilement Piper. Je pensais que nous allions le questionner à propos de Phoebe !

Prue ne put répondre. Les mots paraissaient superflus face au phénomène qui se produisait là. Une décharge électrique la traversait. Elle avait besoin de toute sa concentration pour l'absorber complètement.

Le démon n'était maintenant plus que de la cendre blanchâtre. Prue observait la transformation avec stupéfaction tandis qu'il se désintégrait.

Sidérée, elle tomba à genoux.

— Prue ! appela Piper d'une voix apeurée. Tu vas bien ?

Recroquevillée sur le sol, Prue sentit sa sœur l'entourer de ses bras, lui offrant un réconfort bienfaisant.

— Je vais t'aider à te relever, chuchota Piper.

Mais Prue se dégagea et se remit vivement debout.

— Je vais bien. Je n'ai pas besoin d'aide.

La vérité était qu'elle se sentait magnifiquement bien ! Prue avait conscience de quelque chose de différent, de nouveau en elle, qui la rendait plus forte que jamais.

— C'était une sacrée expérience, glousssa-t-elle.

— Quoi donc ? demanda Piper. Raconte-moi ce qui s'est produit !

Prue serra les dents. Pourquoi Piper ne pouvait-elle se faire une idée des choses par elle-même ?

— Que penses-tu qu'il se soit passé, Piper ? répondit-elle en tentant de masquer son agacement. Il a disparu et nous sommes ici. Et avant qu'il se désagrège, j'ai ressenti comme un transfert de ses facultés. C'était phénoménal !

— Tu es en train de me dire que tu as absorbé les pouvoirs du démon ? C'est vraiment possible ? Je veux dire... Ouah !

Prue ferma les yeux, inspira à fond. Elle se sentait vraiment bien. L'air semblait plein de promesses. Ce n'était pas ce qu'elle avait espéré de cette nuit-là, mais elle n'allait certainement pas se plaindre. Elle dévisagea sa sœur.

— C'est comme si j'avais un nouveau carburant dans les veines. Imagine, Piper : de nouvelles capacités.

Piper paraissait désorientée, ne cessant de jouer avec la fermeture Éclair de sa veste.

— Vraiment ? Quand j'y pense, tout cela me paraît un peu risqué.

— Mais je te dis que je n'ai jamais été aussi bien.

— Quand même, nous devrions rentrer à la maison pour essayer de comprendre ce qui s'est passé, proposa Piper.

— À la maison ?

Ses pouvoirs montèrent brusquement en elle, Prue ferma de nouveau les yeux et éclata de rire.

— Qu'y a-t-il de si amusant ?

Elle prit la main de Piper et la serra. Des picotements parcoururent Prue. Oui ! Ses nouveaux pouvoirs fonctionnaient !

Le corps de Piper devint complètement plat, comme un panneau publicitaire. Puis elle se replia sur elle-même et rapetissa jusqu'à presque disparaître.

Prue comprit qu'il lui arrivait la même chose. *Bye-bye, ruelle*, pensa-t-elle.

Elle se sentit alors transportée dans un endroit différent. L'air était plus chaud, les lumières plus douces. Il se dégageait une odeur familière de pot-pourri épicé. Lorsqu'elle put de nouveau voir, elle réalisa qu'elle se tenait dans le salon de Halliwell Manor.

À l'autre bout de la pièce, juste derrière la chaise de velours XVIIIe siècle, Piper se dépliait, petit à petit, sur le tapis chinois.

Dans un sifflement, son image reprit forme et redevint normale, bougeant et respirant. L'agaçante, la prudente et solennelle Piper était de retour.

Elles étaient revenues à la maison à la vitesse de la lumière. Prue se dit que cela serait beaucoup plus facile de se rendre chez Buckland (si elle y avait toujours un emploi : une absence de plusieurs jours sans donner aucune explication pourrait être à l'origine de son licenciement !).

— J'ai l'impression d'avoir été transformée en poupée de papier. Était-ce nécessaire de m'aplatir ? demanda Piper.

Prue fronça les sourcils.

— Je ne sais pas, admit-elle. Je ne maîtrise pas encore ce pouvoir.

Phoebe se redressa au milieu de la grange et chassa de la main une grosse mouche noire.

— Plonge-moi dessus encore une fois et je t'écrase, murmura-t-elle, les dents serrées.

La vie à la ferme commençait à la lasser. Pourtant, elle n'avait pas ménagé sa peine ce matin : aller puiser de l'eau ; couper du bois avant même de prendre le petit déjeuner ; accepter de s'enfoncer sur la tête le vieux bonnet de Prudence et travailler dans les champs.

Elle entendit la porte de la grange s'ouvrir.

— Phoebe !

Elle grimaça. Lorsque la voix de Prudence prenait ce ton cassant et désagréable, elle sentait son corps entier tressaillir de dégoût. La jeune veuve avait sa personnalité des mauvais jours.

— Je ne comprends pas comment vous pouvez ensemencer le jardin en vous tenant là, dit Prudence.

Phoebe se retourna pour lui faire face et vit Cassandra aux côtés de sa mère.

— J'étais juste en train de m'étirer le dos. (Elle lui adressa un grand sourire, se pencha en avant et toucha ses orteils avec ses doigts.) Et une et deux et trois...

Cassandra éclata de rire, mais pas sa mère.

— Jamais je n'ai rencontré quelqu'un qui inventait autant de mauvaises excuses.

Phoebe se baissa et attrapa une poignée de graines. Son vernis à ongles pourpre brillait au soleil. La façon dont il avait tenu était étonnante, considérant les tâches que Prudence lui avait assignées jusque-là. Il fallait absolument qu'elle se souvienne de la marque qu'elle avait utilisée.

Mais, pour l'instant, sa principale préoccupation était de faire avouer ses talents à Prudence. Phoebe souffla sur une mèche de cheveux bruns qui avait glissé sur son visage.

Le martèlement des sabots d'un cheval leur parvint.

Prudence regarda l'attelage qui descendait la route menant au village. Hugh s'agitait sur le siège du conducteur.

Le revoir n'avait rien d'agréable pour Phoebe. D'un autre côté, tout prétexte qui lui donnait l'occasion d'interrompre son travail était le bienvenu.

— Prudence ! appela-t-il, tout en tirant sur les rênes. Venez vite, on a besoin de vous au bourg.

— Que se passe-t-il, Hugh ? s'enquit-elle.

— Mme Gibbs a besoin d'une sage-femme. Le bébé va naître.

— Mais ce n'est pas possible, dit Prudence en levant les bras au ciel. L'enfant est en avance de plusieurs semaines !

Elle prit son panier et se précipita vers la maison.

— Viens, Cassandra. Je vais chercher mon matériel. Enlève ton tablier, cours !

La petite fille suivit sa mère à l'intérieur.

— Et bonjour à vous, Phoebe, la salua Hugh avec un large sourire.

Feignant de l'ignorer, Phoebe se pencha de nouveau, les doigts serrés sur une petite poignée de graines. *Attends une minute*, pensa-t-elle. *Quand tout le monde sera parti de la maison, ce sera l'occasion rêvée pour moi de trouver* Le Livre des Ombres.

Elle n'était pas sûre de l'utilité de sa démarche, mais elle savait qu'elle avait besoin d'aide, et de toute urgence. Depuis son face-à-face avec le démon, elle se sentait vraiment impuissante et elle ne supporterait pas très longtemps de jouer les cendrillons.

Plongée dans ses pensées, elle ne s'était pas rendu compte que Hugh l'avait rejointe et se tenait près d'elle, la dominant de toute sa taille.

— Les chardons sont-ils si fascinants ? demanda-t-il en se penchant vers elle.

Phoebe se mordit les lèvres. Elle détestait la façon dont il la regardait, les yeux vagabondant sur elle sans répit. Et elle qui l'avait pris pour un héros ! Mon Dieu, quelle erreur !

— Vous avez perdu votre langue ? dit-il en saisissant un brin d'herbe et se mettant à lui chatouiller le cou.

Phoebe essaya de le frapper et le manqua.

— Ma langue va bien, merci. Et arrêtez ça, je vous prie !

Hugh rit tandis qu'il orientait la tige vers son décolleté.

— Arrêtez ! ai-je dit. (Elle lui arracha l'herbe des mains.) Il n'y a rien à voir, j'en ai assez de vos regards lubriques et de vos remarques suggestives. Pour autant que je le sache, vous avez une relation avec cette femme, là-bas. (Elle montra la maison.) Pas avec moi.

— Je pense que vous avez tort, Phoebe.

Il lui souleva le bras, saisit sa main et y déposa un baiser.

— Espèce de dégoûtant, lança-t-elle. Écoutez-moi bien : je ne veux pas de vos idioties, Hugh.

Il rit encore.

— Idioties ? Vraiment, vous dites la plus remarquable…

— Nous sommes prêtes à partir ! cria une voix derrière eux.

Phoebe et Hugh se retournèrent. Prudence, à quelques pas de la porte, se tenait aussi raide et froide qu'une statue. Quelque chose de sombre et de triste se reflétait dans ses yeux bleu clair. Il était évident qu'elle avait tout vu et qu'elle n'en était pas très heureuse.

Revenant à un comportement plus policé, Hugh déposa le sac de Prudence dans la charrette et l'aida à monter sur le siège. La porte de la maison claqua et Cassandra arriva en courant.

Phoebe se remit à son travail et déracina une touffe d'herbe particulièrement coriace. Elle devait encore patienter quelques instants. Elle attendit jusqu'à ce que le bruit des sabots du cheval s'évanouisse dans le lointain.

Enfin ! Phoebe se précipita dans la maison et commença ses recherches. Le livre n'était pas sur la table de pin, ni sur la table de nuit de Prudence. Peut-être Prudence l'avait-elle caché ailleurs ?

Non. Phoebe secoua la tête. Aucune sorcière ne garderait éloigné *Le Livre des Ombres*. Pourtant, il n'était nulle part en vue. Phoebe fouilla tous les placards, vida toutes les malles. Elle regarda sous les matelas, vérifia même si certaines lattes de plancher étaient mal fixées. Elle inspecta la cheminée, se demandant si le livre pouvait être caché derrière une poêle à frire ou une pierre du foyer. Rien. Phoebe se mit alors à tourner en rond, se rongeant les ongles et ne sachant plus où chercher.

— Je sais que tu es là, mais où ?

Elle remarqua une chaise que Prudence déplaçait souvent dans différents endroits de la maison. Le gros grimoire pouvait-il être caché dessous ?

Non, il n'y avait pas de cachette sous le siège, mais… Phoebe leva les yeux pour observer le toit. Prudence avait-elle déplacé la chaise pour prendre quelque chose là ? Elle grimpa dessus et commença à tâtonner.

Bingo ! *Le Livre des Ombres* était bien là, glissé entre une poutre et le chaume. Phoebe saisit le manuscrit et sauta à terre. Habituellement, celui-ci lui procurait un vif sentiment de réconfort lorsqu'elle le touchait. Aujourd'hui, pourtant, il la faisait frissonner. Pourquoi donc ?

Elle le posa sur la table et entreprit de le feuilleter. Elle eut le souffle coupé en découvrant que les pages étaient vierges. Mais elle réalisa que Prudence n'appartenait qu'à la deuxième génération de sorcières écrivant le grimoire. Au moment où Grams avait transmis le livre à Phoebe et à ses sœurs, de nombreuses femmes avaient contribué à sa réalisation.

Elle passait la main sur le parchemin blanc quand une vision s'imposa à son esprit.

C'était un monde étrange, un endroit obscur où s'agitaient des ombres. À travers la poussière et les vapeurs, elle distingua Prue et Piper, vêtues de cuir et bardées de chaînes, leurs visages recouverts de peintures. Ce n'était pas vraiment leur style.

Que faisaient-elles, cachées derrière une sorte d'abri sur une route sombre et déserte ? Quelque rendez-vous secret ? Phoebe n'était sûre de rien.

Puis elle vit un reflet dangereux dans les yeux de Prue, le genre de regard qu'elle avait lorsqu'elle combattait des démons.

La vision s'atténua, puis redevint d'une grande netteté. Plus bas sur la route, quelqu'un venait à leur rencontre. Prue et Piper arboraient un air qu'elle ne leur connaissait pas. Cela lui rappelait la façon dont Kit, leur chat, contemplait sa proie avant de bondir dessus.

Elle vit Prue concentrer ses pouvoirs sur l'homme, et des cris d'agonie se firent soudain entendre.

« Je l'ai eu ! s'exclama-t-elle.

— Le prochain est pour moi », lui lança Piper.

Un frisson parcourut le corps de Phoebe. Que se passait-il ? Quoi qu'il en soit, c'était horrible.

Ses sœurs en train de chasser les sorciers ? Cela ne collait pas. Prue et Piper n'étaient pas du genre prédateur. De plus, cela allait totalement à l'encontre du serment qu'elles avaient prêté en découvrant le Pouvoir des Trois. À quoi jouaient-elles donc ?

Sa rencontre de la veille avec le démon lui revint à l'esprit. N'avait-il pas menacé de faire passer les membres de sa famille du côté du Mal ? Phoebe frissonna de nouveau. Sa malédiction avait-elle déjà des effets dans le futur ?

Il était primordial de se débarrasser de lui et de rentrer à la maison, pensa Phoebe. Elle se replongea fiévreusement dans le livre.

— Et un sortilège sur le voyage dans le temps ! implora-t-elle à voix haute. Ce serait tellement pratique !

Elle parcourut le manuscrit sans succès, se demandant quand Prudence serait de retour. Cela pouvait être d'un moment à l'autre.

Soudain, un dessin accrocha son regard : un homme à la tête hérissée de pointes tenait à la main un feuillet. Dessous était écrit : « Sortilège pour éliminer le plus mauvais des démons ».

Phoebe en resta bouche bée. C'était ça.

— Oui ! cria-t-elle.

Maintenant, il lui fallait réunir les ingrédients, dont elle mémorisa la liste, trouver le démon, et le faire disparaître à jamais.

Seul petit problème : le sortilège requérait la présence d'au moins deux sorcières. Or, Phoebe était seule. Comment pourrait-elle…

Attends une minute. Et Prudence ? D'une façon ou d'une autre, Phoebe avait besoin de convaincre Prudence de l'aider. Mais comment faire pour amadouer cette femme aux sautes d'humeur si imprévisibles ? Faire participer Prudence semblait une mauvaise idée.

Alors qui pouvait l'aider ?

Je m'occuperai de ça lorsque le moment sera venu, se dit-elle.

Elle ferma les yeux et répéta mentalement ce qu'elle devait chercher : *une poignée de terre ramassée à la croisée de trois chemins, une pincée de sel, une aiguille de pin…*

Tout cela bien en tête, Phoebe feuilleta le reste du livre, espérant découvrir le sort qui l'enverrait hors de Salem. Elle parvint rapidement aux textes ajoutés par Prudence ces derniers jours. Elle s'arrêta un instant pour regarder une illustration, qui représentait un chevreuil au pelage lacéré et sanguinolent.

— Mais, qu'est-ce…

Phoebe eut un mouvement de recul devant la cruauté du dessin, suivi d'un sortilège de malédiction pour les ennemis :

> *Crée une image de ton ennemi,*
> *Lacère-la comme j'ai lacéré le chevreuil.*

Puis enterre-la à la pleine lune
Dans la tombe d'un pendu.

C'est un sortilège maléfique, pensa Phoebe, horrifiée.

Elle tourna la page et en trouva un deuxième, intitulé : « Pour être vengé de celui qui vous a fait du mal » ; le troisième avait pour titre : « Pour causer la maladie chez celui qui vous croise ».

Phoebe resta bouche bée devant le grimoire. Elle ne se rappelait pas avoir vu ces charmes dans *Le Livre des Ombres*. Aussi, comment pouvaient-ils y apparaître maintenant ?

Elle continuait sa lecture lorsque la porte s'ouvrit.

Prudence se tenait sur le pas de la porte, les yeux fixés sur elle.

— Hé ! Vous êtes déjà de retour, articula Phoebe avec un entrain forcé.

Elle voulut cacher le manuscrit derrière elle, mais il était trop tard ! Prudence l'avait prise sur le fait et – chose inattendue ! – cela ne semblait pas l'ennuyer.

— Qu'êtes-vous en train de faire ?

La voix de Prudence était douce.

— Je vérifiais juste quelque chose dans votre livre, répondit Phoebe en le fermant avec délicatesse.

Prudence se dirigea vers elle.

— Mais ne vous inquiétez pas, continua Phoebe, j'ai fini les semences, et je n'ai pas oublié les poules ou le…

Prudence attrapa Phoebe par le col de sa robe et serra si fort que celle-ci sentit ses doigts s'enfoncer dans son cou.

— Je… Vous allez la déchirer ! hurla Phoebe d'une voix stridente.

Mais Prudence ne relâchait pas son étreinte. Phoebe percevait de la folie dans son regard.

Néanmoins, elle s'efforça de se montrer stoïque, fixant le visage du Mal, tandis que Prudence la toisait d'un air sinistre.

— Si jamais je vous reprends en train de toucher à ce livre, dit Prudence d'un ton clair et posé, je vous tue.

CHAPITRE 9

La sonnerie du téléphone retentit dans les couloirs de Halliwell Manor.

Dans sa chambre, Piper se pencha vers le miroir et dessina un nouveau trait d'eye-liner au bord de ses paupières.

— Tu peux répondre ? cria-t-elle à Prue.

Basculant la tête sur le côté, Piper traça une autre ligne de noir autour de ses yeux.

Pour finir, elle appliqua sur ses lèvres une couche de blanc argenté.

Maintenant, j'ai l'air d'un zombie, pensa-t-elle. *Parfait pour une nuit de destruction.*

La soirée serait des plus banale : elles allaient simplement traquer un sorcier. La seule différence serait que Piper, à son tour, aspirerait les pouvoirs d'un démon. Miam-miam ! C'était une bonne chose, parce qu'elle était vraiment affamée.

Elle s'écroula sur son lit en riant.

La sonnerie du téléphone retentit de nouveau.

— Prue ! Tu réponds ou quoi ?

— Je suis occupée ! cria sa sœur depuis sa chambre.

Piper se leva et se dirigea vers le rez-de-chaussée. Elle marqua un arrêt sur le seuil de la chambre de Prue :

— Qu'es-tu en train de te faire ?

— Des tatouages, dit Prue, montrant sur son biceps le dessin d'un démon. Tu en veux un ?

— Peut-être plus tard. Nous devons y aller maintenant ou le sortilège sera inefficace d'ici à ce que nous soyons là-bas.

Le téléphone se remit à sonner.

— J'y vais, dit Piper, se dirigeant vers la cage d'escalier.

Au moment où elle arrivait à la cuisine, la sonnerie s'interrompit. Plusieurs messages étaient enregistrés sur le répondeur qu'elle mit en marche : « Piper, c'est Jason, du club, disait-il sur un fond sonore de musique et de rires. Nous vous avons encore attendue aujourd'hui. »

D'accord, elle n'avait pas mis les pieds au club depuis plusieurs jours ! Peut-être l'ancienne Piper aurait-elle paniqué à l'idée de s'absenter, mais à présent elle avait des choses plus importantes à faire.

Elle écouta deux autres messages, adressés à Prue, et qui émanaient du commissaire-priseur qui l'employait. Prue, elle non plus, n'était pas allée travailler cette semaine. Elle avait donné comme excuse à son patron qu'elle était malade. Ah ! Elle était plutôt malade de ses pouvoirs !

Piper sentit une odeur bizarre. Cela venait certainement de la vaisselle ainsi que des restes de nourriture qui s'empilaient dans l'évier. Sur le sol traînaient des couteaux et des fourchettes. Mais Piper s'en moquait éperdument.

Se détournant, elle se rendit au salon où des piles de courrier, de catalogues et de papiers jonchaient la table basse. Le linge sale de Prue s'entassait sur le divan.

Quel dépotoir !

La vieille demeure avait changé. En fait, beaucoup de choses avaient changé, réfléchit Piper : la maison, son travail, sa sœur. Cette dégradation générale dans sa vie l'ennuyait, mais était-ce sa faute ? Plutôt celle de Phoebe qui avait disparu, transformant sa vie, qui commençait à exhaler une odeur de renfermé comme cette vieille maison.

En passant au pied de l'escalier, Piper perçut de nouveaux effluves.

— Prue, as-tu allumé une bougie ?

Sa sœur apparut sur le palier.

— Je passe mon temps à allumer des bougies, depuis que l'électricité nous a lâchées pendant la tempête d'avant-hier.

— Parce que tu as oublié d'appeler la compagnie pour la faire réparer, lui rappela Piper.

— J'avais plusieurs autres choses en tête, d'accord ? Et quel est ton problème, tu peux téléphoner toi-même !

Ne t'engage pas dans une autre dispute, pensa Piper, lassée.

— On dirait que quelque chose brûle.

Prue huma l'air, le nez froncé.

— Oui, approuva-t-elle. Le grenier. Nous avons allumé des bougies pour lire le sortilège sur la recherche d'un démon. Ne les as-tu pas soufflées ?

— Je croyais que tu allais le faire, dit sa sœur en montant l'escalier en courant.

— Et pourquoi pensais-tu cela ? cria Prue. Tu ne peux pas réfléchir un peu !

Piper, en colère et hors d'haleine, se précipita dans le grenier enfumé. La plupart des bougies avaient brûlé jusqu'à s'éteindre d'elles-mêmes. L'une d'elles cependant avait coulé sur la table, enflammant un vieux napperon, réduit à un cercle de dentelle craquelée, qui se consumait lentement.

Elle attrapa le pichet d'eau qu'elles avaient utilisé pour le sortilège et arrosa le minuscule foyer, puis éclata de rire. Elle savait combien ce serait terrible de perdre cette demeure, mais cela ne l'empêchait pas d'en être amusée, comme si toutes ces choses importaient peu désormais.

Elle se pencha vers *Le Livre des Ombres* et s'appuya sur les pages ouvertes. Elle ressentit un grand frisson et se releva vivement à la vue du sortilège inscrit sur la page.

C'était un sort à l'encontre de quelqu'un que l'on croise. À côté, un dessin représentait un chevreuil, le corps lacéré et sanguinolent. Elle fut saisie de légers tremblements. Dernièrement, de nombreux charmes comme celui-ci étaient apparus. Piper n'en comprenait pas la raison et Prue semblait y porter une attention distraite et même, parfois, beaucoup les apprécier.

En effet, Prue était d'une rare méchanceté depuis qu'elle avait absorbé les pouvoirs du démon. Entièrement imbue d'elle-même et désagréable. Il était injuste qu'elle soit la seule à les détenir, mais ce soir, cela changerait. Le tour de Piper arrivait.

Elles avaient déjà prononcé l'incantation pour attirer un autre sorcier. Piper avait tout planifié, il ne leur restait plus qu'à y aller. Elle poussa la porte du grenier et descendit les marches en courant :

— Prue, amène-toi ! cria-t-elle. Il est temps de chasser un autre démon.

Piper salivait d'avance. Avait-elle seulement dîné ? Déjeuné ? Elle ne s'en souvenait pas et cela n'avait pas réellement d'importance. La seule chose dont elle avait besoin était le pouvoir.

Un vent frais venant du fleuve balayait les ruelles désertes du quartier des entrepôts. Piper et Prue se cachaient près d'un hangar abandonné situé à vingt mètres environ d'un bar de motards qui était l'élément clé de leur plan.

Le vrombissement d'un moteur attira l'attention de Piper. Elle poussa sa sœur du coude et fouilla l'obscurité, qu'un phare troua soudain.

— Un sorcier sur une Harley, chuchota Piper, et il va être à moi.

Il n'y avait pas l'ombre d'une hésitation dans l'esprit de Piper. Cette fois, la chasse l'excitait.

— Prête ? demanda-t-elle à Prue, qui acquiesça.

Au moment même où le motocycliste approchait de l'allée où elles se dissimulaient, Piper suspendit le temps.

La Harley resta figée au milieu de la rue.

— Bel équilibre, railla Piper.

Prue s'empara d'une vieille traverse de voie ferrée sur le bord de la route et la posa sur la trajectoire du motard.

Le temps reprenant son cours normal, la moto repartit de l'avant. Une seconde plus tard, elle heurta le gros morceau de bois. La Harley et son conducteur furent propulsés dans les airs. Le démon atterrit sur le trottoir, à quelques pas de la carcasse tordue de son engin.

Les deux sœurs se précipitèrent vers lui, Piper étendit les mains sur sa poitrine, impatiente de lui prendre ses pouvoirs.

— Pourquoi ? articula-t-il avec difficulté.

Piper frissonna. N'aurait-il pas dû être déjà mort ?

— Vous êtes un sorcier, voilà pourquoi, dit froidement Prue.

— C'est pour Phoebe... voulut expliquer Piper.

Elle savait que tout venait de la disparition de leur sœur, bien qu'elle n'en fût plus très sûre.

L'homme ferma les yeux. Un frisson glacial parcourut Piper.

Elle vit le corps de la créature fondre sous ses mains, ses os ramollir, se dissoudre. Puis il tomba en poussière, et le transfert de ses pouvoirs s'opéra.

— Ouah !

Piper ne put retenir un cri d'excitation ; la tête lui tournait. Elle eut soudain le sentiment d'être plus légère, plus forte, prête à courir un marathon sans effort. L'énergie bouillonnait en elle. Elle ne s'était jamais sentie aussi sauvagement vivante.

Avec un sourire serein, Piper regarda le vent emporter au loin les cendres de ce qui avait été le démon. Elle ferma les yeux et rit à pleine gorge. Un vol de pouvoirs ! Si c'était si mal, pourquoi se sentait-elle si bien ?

CHAPITRE 10

Phoebe marchait lentement dans Salem, Massachusetts. Prudence l'y avait envoyée pour troquer du beurre contre des épices. Même cette tâche simple n'était pas facile. Phoebe devait se rappeler constamment de garder la tête baissée, enveloppée dans le châle que Prudence lui avait prêté. Les gens la regardaient avec insistance, s'attendant probablement qu'elle ôte ses vêtements et danse nue dans la rue...

Elle devait se montrer prudente si elle voulait obtenir l'ingrédient crucial du sortilège destiné à bannir le démon : *« Une poignée de terre ramassée à la croisée de trois chemins »*, spécifiait *Le Livre des Ombres*.

Elle dépassa deux hommes qui tiraient des chevaux et osa lever la tête pour regarder. Juste derrière la forge, elle remarqua que l'artère principale se divisait en trois. Cela ferait-il l'affaire ?

Elle continua sa route tout en tâtant les sachets d'épices qui se trouvaient au fond de sa poche, et qui, pour la plupart, étaient pour Prudence. L'un d'entre eux servirait pour son sortilège. Elle avait déjà pu se procurer aisément un dé à coudre, une feuille de thé, une aiguille de pin et deux pierres plates, ainsi que du sel et de la noix muscade. Il lui manquait la terre, une plume et une carotte fourragère.

Phoebe atteignit le carrefour. Espérant que personne ne la remarquait, elle s'arrêta derrière un tonneau et remplit de terre une pochette de cuir qu'elle avait subtilisée chez Prudence. Toujours accroupie, elle finissait d'en nouer le cordon lorsqu'elle entendit des pas.

— Avez-vous besoin d'aide, vous, là-bas ? demandait une voix masculine.

Se relevant, elle se trouva face à un couple âgé : un homme à la barbe fournie et une femme maigre qui paraissait avoir un besoin urgent de manger pour se remplumer.

— Oh, tout va bien, merci, dit-elle, espérant qu'ils passeraient leur chemin.

Phoebe secoua le petit sac de terre devant leurs yeux curieux.

— Quelle maladroite je suis ! Je viens de faire tomber ceci sur le sol. Heureusement, je l'ai retrouvé.

— Attendez, dit l'homme tout en levant le menton. Qu'avez-vous à la main ?

Zut ! Elle était censée ne pas exhiber sa manucure.

— Ses doigts ! hurla la femme décharnée.

Phoebe soupira. Pourquoi s'excitaient-ils donc sur du vernis à ongles ?

— Des ongles pourpres, continuait la femme. J'ai vu ses ongles, ils sont de la couleur du sang ! Elle est rongée par la maladie.

— Je ne suis pas malade ! protesta Phoebe.

— Alors, montrez-nous vos doigts ! exigea l'homme.

Valait-il mieux les leur montrer ou prendre ses jambes à son cou ? D'autres villageois se rassemblaient déjà autour d'elle. Les chances de pouvoir s'échapper diminuaient.

Phoebe tendit ses mains. Une partie du vernis avait fini par s'écailler mais, d'une manière générale, ses ongles conservaient leur couleur rouge sombre.

Une rumeur de mécontentement s'éleva dans la foule.

— Restez en arrière, cria le barbu en écartant sa femme ; elle est pestiférée. La peste est sur nous. Elle va être notre mort à tous !

Phoebe dissimula ses mains dans les profondes poches de la cape de Prudence.

— Je ne suis pas malade, répliqua-t-elle rapidement. C'est juste que... je ramassais des mûres et mes doigts sont devenus tout noirs à cause du jus. (Elle se tourna vers une jeune femme dans la foule et la regarda droit dans les yeux.) Vous savez comment cela arrive ? Je déteste ça. Ces taches sont très difficiles à ôter.

— Quelles variétés de mûres peuvent être récoltées au printemps? demanda un homme, perdu dans l'attroupement.

Phoebe se tourna vers lui et cligna des yeux. Sa peau ne reflétait-elle pas une lueur verte?

Si! Un vert hideux.

Campé au milieu de la foule, se tenait le démon. Regardant méchamment Phoebe, il lança:

— Ce n'est pas une maladie que nous voyons, mais le visage même du Mal. C'est une sorcière!

— Une sorcière?

Un murmure d'horreur parcourut l'assistance.

Le démon s'avança.

— Enfermez-la, commanda-t-il. De façon qu'elle puisse être jugée.

— Attendez, intervint la jeune femme.

Mais personne n'écoutait. La foule se faisait houleuse et Phoebe recula au fur et à mesure qu'elle avançait vers elle. Cela devenait sérieux.

— Hé! Est-ce qu'on ne peut pas parler? s'écria Phoebe.

Un homme de grande taille sortit du groupe et lui attrapa le bras. Phoebe lutta pour se libérer, mais il était trop fort. Un instant plus tard, il fut aidé par un autre villageois. Ses bottes glissaient sur le sol tandis qu'ils l'entraînaient.

Le cœur de Phoebe battait à tout rompre. Qu'allaient-ils faire d'elle?

Puis elle vit les entrepôts. Leurs charpentes de bois et leurs verrous métalliques paraissaient inviolables.

S'ils l'enfermaient là, elle n'aurait aucune chance de s'échapper, ni d'éliminer le démon, et encore moins de rentrer à la maison.

Phoebe ferma les yeux pour fuir ce cauchemar.

— Sorcière ! cria un homme.

— Créature du diable ! vociféra un autre.

Elle reçut un œuf en plein visage.

Mais c'était bien le cadet de ses soucis. Elle se trouvait piégée, totalement vulnérable et terriblement seule.

CHAPITRE 11

Phoebe sentait les battements accélérés de son pouls, signe évident de la panique qui la gagnait.

Mais il était hors de question de laisser le dernier mot à ces bouffons de la vieille école. Ne possédait-elle pas le savoir-faire du XXIe siècle ? Si seulement elle avait apporté un téléphone portable ! On peut toujours compter sur la sonnerie d'un tel instrument pour faire diversion.

Puis elle se souvint des épices qu'elle avait en poche. Cela pouvait marcher.

L'homme à sa droite lui tenait fermement le bras, mais sa main était libre. Elle la plongea dans sa poche et tâtonna : de la noix muscade, des cristaux de sel et du poivre noir dans un sachet attaché par un ruban qu'elle réussit à défaire. Parfait...

Ils atteignirent les entrepôts ; un de ses gardiens dut batailler avec les verrous. La foule les observait avec crainte. « Vous ne regardez pas souvent la télé, hein ? » avait envie de leur lancer Phoebe.

— Presse-toi, Will, dit l'homme de haute taille à celui qui tentait d'ouvrir la porte. Nous devons l'enfermer au plus vite. Nous ne pouvons laisser cette sorcière utiliser ses pouvoirs contre nous.

Serrant la main autour du sachet dissimulé dans sa poche, Phoebe se tourna vers le garde qui la tenait.

— Un conseil, dit-elle d'une voix douce. Si vous avez peur de la magie, ne touchez pas une *Charmed* !

Elle tira le sac de poivre hors de sa poche et en lança le contenu au visage de Will... Elle visait les yeux, mais le nez aurait aussi bien fait l'affaire.

Un murmure de stupéfaction parcourut l'assemblée tandis que l'homme reculait. Il reniflait furieusement et se frottait les yeux.

— Will, tu vas bien ? appela une femme.

— La sorcière m'a aveuglé ! hurla-t-il.

— De la poudre magique ! cria quelqu'un.

L'autre homme se cachait derrière l'entrepôt.

— Ne t'approche pas, sorcière, je t'en supplie !

Pas aujourd'hui, pensa Phoebe. *Je suis à court de poudre magique.* Elle s'enfuit à toutes jambes.

Plusieurs heures plus tard, elle était accroupie dans les buissons, près du ruisseau. De cet endroit, elle apercevait la lueur des torches des villageois surexcités, assemblés à l'extérieur de la maison de la veuve Wentworth.

Au moins, Prudence ne mentirait pas lorsqu'elle affirmerait ignorer où se trouvait Phoebe. Elle était restée à l'écart de la demeure tout l'après-midi, persuadée qu'une chasse aux sorcières serait lancée.

Phoebe s'approcha aussi près que possible, se cachant derrière un chêne. Il lui semblait que quelques-uns des villageois étaient entrés pour fouiller la maison.

Soudain, une pensée lui traversa l'esprit. Et si ces gens découvraient *Le Livre des Ombres*? Ils pourraient le détruire! Cela risquait de modifier le passé et d'affecter le futur. De plus, Prudence serait en grande difficulté, elle aussi.

Et qu'arriverait-il à la petite Cassandra, si la foule s'en prenait à sa mère?

— Ils *ne peuvent pas* trouver le livre, murmura Phoebe pour elle-même, comme si le fait de le dire à haute voix suffisait à empêcher ce malheur. *Ils ne peuvent pas le trouver!*

Un long moment plus tard, Phoebe vit les villageois s'éloigner. Ils avaient apparemment fait chou blanc, mais la jeune fille voulut s'en assurer. Elle attendit qu'ils soient complètement hors de vue pour se glisser jusqu'à la maison et, à travers une petite fenêtre, elle jeta un coup d'œil dans la salle commune.

Prudence s'y trouvait, elle buvait de la tisane et berçait dans ses bras Cassandra, qui avait dû être effrayée par tout ce tumulte. Phoebe en fut soulagée. Si Prudence et Cassandra étaient sauves, le livre l'était aussi.

Phoebe fut très émue par cette scène. N'était-il pas surprenant que Prudence, malgré toutes ses sautes d'humeur, soit si dévouée à son enfant ?

Le fait de les voir ensemble, tendrement enlacées, bouleversait Phoebe. Elle regretta de ne pas avoir mieux connu ses parents.

À contrecœur, Phoebe s'éloigna de la maison. Il lui était maintenant impossible d'y revenir vivre. Elle ne pouvait prendre le risque de réveiller le monstre qui sommeillait en Prudence.

Phoebe alla regarder dans la grange où elle avait dissimulé la plupart des ingrédients nécessaires au sortilège – ne manquaient plus que la plume et la carotte fourragère.

C'était le moment de finir la collecte.

Une poule se mit à glousser, tandis que Phoebe s'approchait du poulailler. Elle aperçut une plume sur une planche et s'en saisit.

— C'est un plaisir de faire affaire avec vous, dit-elle à l'adresse des volailles.

Puis elle se dirigea de nouveau vers les bois sombres. De sa lointaine expérience de scoute, elle avait retenu que les carottes fourragères poussaient souvent à l'état sauvage dans les champs et le long des haies. Elle supposa qu'elle pourrait en reconnaître la fleur blanc cassé lorsqu'elle la verrait.

Par chance, l'astre lunaire brillait suffisamment pour éclairer le sol. Les sens en éveil, Phoebe demeurait à la limite de la forêt. Se déplacer à découvert au beau milieu d'un champ, sa silhouette découpée par le clair de lune, paraissait peu judicieux.

Elle franchit racines et rochers et se heurta à plusieurs buissons épineux qui accrochèrent sa longue jupe. Un hibou ulula, la faisant sursauter. Elle trouva des chardons, de la bruyère et quelque chose qui ressemblait à du lierre, mais pas de carotte fourragère.

Un peu plus haut, elle découvrit un vieux tronc couvert de mousse et de champignons. Un sol fertile, peut-être le bon endroit pour un légume introuvable. Lorsqu'elle l'atteignit, une lueur au loin frappa son attention.

Une lumière au cœur de la forêt ?

Phoebe vit quelqu'un penché sur un feu de bois, le remuant avec un bâton. Elle fit le tour de la souche pour s'approcher d'un bouleau et scruta la scène. Un autre personnage, assis celui-là, portait un vêtement à capuche.

Puis elle entendit des voix – des voix masculines.

L'homme qui était debout se retourna : Hugh ! Que faisait-il là ? À qui parlait-il ?

Phoebe se glissa furtivement d'arbre en arbre jusqu'à un chêne blanc. Cette fois, mieux placée, elle distingua le visage sous la capuche.

Le démon ! Le démon vert se trouvait en compagnie de Hugh !

CHAPITRE 12

CLINK!

— Ouah! J'ai gagné! lança Piper en voyant les huit boules de billard tomber dans la blouse.

— Non, mademoiselle, intervint un type vêtu d'un blouson de cuir rouge assis à une table voisine. Faire descendre en même temps toutes les boules est un signe de mauvais augure.

Piper lui rit au nez. *A-t-on besoin de chance lorsqu'on possède des pouvoirs maléfiques?* songea-t-elle. Pourtant, elle n'avait toujours pas la moindre idée de l'étendue de ses nouvelles capacités. À la différence de Prue, qui avait ressenti l'ampleur du phénomène dès le début.

Piper se mit à douter. Et si elle ne s'était pas emparée des pouvoirs de ce démon, en fin de compte? Si elle avait été trompée? Il valait mieux ne pas y penser et ne rien dire pour le moment.

— Tu sais, nous devrions faire cela plus souvent, dit Prue.

Piper se rapprocha de la table pour prendre son tour.

— Jouer au billard ?

— Non, bien sûr. (Elle baissa la voix de façon que personne ne puisse entendre.) Je veux parler des sorciers. Réfléchis-y, Piper. Peut-être est-ce notre destinée de les détruire et de leur voler leurs pouvoirs. Nous sommes les sœurs *Charmed*, n'est-ce pas ?

— Avec Phoebe. C'est ensemble que nous sommes les *Charmed*.

— Qui est Phoebe ? demanda Prue.

Piper éclata de rire.

— Notre sœur, idiote. C'est fou comme tu oublies vite !

Prue envoya une boule dans la blouse la plus proche, puis se figea :

— J'ai une idée ! Sortons d'ici et allons de nouveau consulter le livre. Je suis sûre que nous trouverons quelque chose de très intéressant à faire.

Elles s'engouffrèrent dans le hall et suivirent le couloir jusqu'au distributeur de cigarettes. Alors, elles claquèrent des mains et leurs corps devinrent plats, se repliant en morceaux de plus en plus petits…

La première chose que vit Piper fut sa sœur en train de se déplier, formant une image en deux dimensions, puis reprendre son apparence habituelle dans le grenier de Halliwell Manor. Cela ne l'amusait pas du tout. Sa présence forcée dans cette maison la mit soudain en colère. Peut-être était-ce le fait de se retrouver dans ce vieux grenier. Elle bouscula une boîte, s'empara d'une robe suspendue à un portemanteau et épousseta le sol, de façon à s'asseoir.

Prue compulsait déjà *Le Livre des Ombres*, les doigts courant sur la page à toute allure. Désormais, le manuscrit agissait comme une drogue sur elle.

— Comme je le disais, murmura Prue, je pense vraiment que nous touchons à quelque chose de particulier. Mais pourquoi nous limiter aux sorciers ?

— Parce que voler les pouvoirs d'un morceau de pain est plus délicat ! plaisanta Piper.

— Je veux dire, pourquoi ne nous attaquons-nous pas aussi aux femmes ?

Piper fronça les sourcils.

— Tu veux dire : aux bonnes sorcières, comme nous ?

Prue pouffa.

— Piper, quand t'es-tu regardée dans un miroir pour la dernière fois ?

Piper considéra ses vêtements : chemisier en dentelle et jupe longue noirs et veste de cuir.

— Qu'est-ce qui ne va pas dans mon apparence ?

— L'habit ne fait pas le moine, Piper. Il s'agit de notre comportement : nous avons changé de route.

Piper n'était pas sûre d'aimer ce qu'elle entendait, mais elle n'avait pas envie de discuter avec sa sœur. Elle préféra se lever, prit *Le Livre des Ombres* des mains de Prue et se plongea dans sa lecture. Peut-être devraient-elles trouver un autre sortilège ? Quelque chose qui nettoierait le grenier en même temps que leur esprit.

— Le fait est, continua Prue, que les sorciers sont très limités. Les sorcières ont des capacités bien plus importantes.

Piper feuilleta l'ouvrage, découvrant des sortilèges et des recettes à lui donner la nausée : sorts pour maudire des ennemis, pour rendre des enfants malades. Quelque chose clochait, ce n'était pas pour réaliser ce genre d'actions que *Le Livre des Ombres* existait, Piper en était certaine. Alors, qu'est-ce que ça signifiait ?

Le Mal venait-il d'y apparaître ou y avait-il toujours été ?

Elle reprit sa lecture et découvrit un sortilège pour ôter ses pouvoirs à une sorcière qui nécessitait un cœur humain vivant.

Elle frissonna.

— D'où viennent ces sorts horribles ? Depuis quand travaillons-nous avec des organes ?

— Je ne sais pas, dit Prue avec désinvolture.

Elle se mit à trépigner, ce qui dénotait un signe évident d'excitation.

— Pour celui-là, il faut l'œil d'un chat, indiqua Piper, le visage déformé par une grimace de dégoût en pensant à son siamois adoré. Je ne crois pas que Kit approuverait.

— Quelle importance ? lança Prue. Tu te dérobes encore, Piper. Tu as besoin de te concentrer. Pense aux bonnes fées. En connaissons-nous une seule à qui nous pourrions voler ses pouvoirs ?

— Phoebe, répondit Piper de manière automatique.

— Qui est Phoebe ?

Cette fois, Piper ne sut que répondre. *Une seconde… Mais qui est Phoebe ?*

CHAPITRE 13

Phoebe ne pouvait en croire ses yeux. Hugh en compagnie du démon ! Il jeta une branche dans le feu, puis leva la tête avec une mine d'enfant triste.

— J'ai fait tout ce que vous m'avez demandé. J'ai donné à Prudence de la tisane, tasse après tasse. Elle devrait être du côté obscur, à l'heure actuelle, mais le sortilège ne fonctionne pas, elle a toujours des moments de bonté.

La tisane !

Phoebe se mordit les lèvres ; dès son arrivée chez la veuve Wentworth, elle avait remarqué que Hugh insistait pour que Prudence boive cette tisane – un breuvage maléfique. Voilà qui expliquait sans aucun doute les changements d'humeur de son hôtesse.

— Ce n'est nullement un échec, rétorqua le démon d'un air suffisant. Elle écrit dans *Le Livre des Ombres* ; chaque formule qu'elle y ajoute appartient à la magie noire.

Phoebe eut un haut-le-cœur à la pensée que le démon utilisait Prudence. L'idée que Hugh et la créature avaient voulu lui faire croire que cette femme était son ennemie la révoltait. Victime d'un envoûtement, Prudence avait besoin de son aide.

— Et puis, il y a le problème de Phoebe, continua Hugh. Pourquoi l'avoir fait venir ? Avons-nous vraiment besoin d'elle ?

Le démon éclata de rire.

— Je n'ai pu y résister. Quel plaisir d'observer Phoebe causer sa propre perte ! Je suis un démon du Temps, ne l'oublie pas. Répandre le Mal est ma spécialité. Tes attentions envers Phoebe ont rendu jalouse l'aimable Prudence. Cette demoiselle nous aide sans même le savoir ! Une fois Prudence corrompue, sa descendance le sera aussi. Le côté obscur infectera Cassandra, qui contaminera sa fille, et cela se perpétuera de génération en génération. Chacune des *Charmed* deviendra un soldat du Mal plutôt qu'une sorcière de la Lumière.

Phoebe s'agrippa à l'arbre, enfonçant ses ongles dans l'écorce, tandis qu'une vision terrifiante lui apparaissait : Grams, sa mère, Piper et Prue... Toutes les femmes Halliwell seraient de mauvaises, monstrueuses et misérables créatures.

Et moi également, réalisa Phoebe, les genoux tremblants – et ce n'était pas à cause du froid.

— C'est le moment de passer à l'étape suivante, disait le sorcier. Un sacrifice humain est prévu. J'ai déjà transmis en rêve le sortilège à Prudence, mais elle semble hésiter. Tu dois renforcer ton influence sur elle, puis lui montrer comment détruire une vie innocente.

Hugh sourit.

— Mais qui devons-nous sacrifier ?

Le démon lui retourna son sourire.

— Phoebe Halliwell est un choix qui s'impose, non ?

Me tuer ? Phoebe plaqua son visage contre le tronc, essayant de rester calme et silencieuse.

Hugh se releva, s'approcha du feu, prit un objet dans une poche de cuir qui pendait à sa taille et le jeta dans les flammes. Puis, les bras tendus, il commença une étrange incantation, inconnue de Phoebe. Stupéfaite, elle vit se dessiner l'image de Prudence endormie paisiblement, qui vacillait au centre du feu, tandis que Hugh continuait de psalmodier.

C'est un sorcier ! comprit enfin Phoebe, l'estomac révulsé de dégoût. *Comment ai-je pu ne pas m'en apercevoir ?*

Puis la vision s'évanouit et Hugh se tourna vers le démon.

— Le sortilège est en place et votre volonté sera accomplie. Prudence tuera avant l'aube.

Phoebe retint son souffle en s'éloignant de la clairière. Elle devait à tout prix éviter de se faire surprendre. Elle faillit trébucher sur une souche, se rattrapant au dernier moment. Puis, lorsqu'elle se trouva à une distance respectable, elle se mit à courir.

Phoebe ne pouvait chasser de son esprit ces deux monstres, ni l'idée que c'était pour damner toute sa famille que la créature l'avait attirée dans son piège. *Je dois empêcher cela de se produire!* Si seulement elle pouvait contacter Prue et Piper pour les avertir de ce qui se tramait. Mais comment faire parvenir un message dans le futur?

Chaque acte d'aujourd'hui aura des conséquences dans l'avenir, se dit-elle. Elle atteignit la lisière des bois et se mit à marcher d'un bon pas. *Peut-être pourrais-je graver un message sur une pierre et espérer que l'une d'elles le voie? Ou envoyer une lettre – hélas! où l'envoyer?...*

Elle tourna et retourna le problème dans sa tête jusqu'à la maison de Prudence. Là, elle se glissa à l'intérieur et passa les lieux en revue. Prudence et Cassandra dormaient. Sans être sûre de ce qu'elle devait faire, Phoebe grimpa sur une chaise et tira *Le Livre des Ombres* de sa cachette.

À la lueur d'une bougie, elle consulta l'ouvrage. Elle se rappelait que le monstre vert s'était qualifié de démon du Temps. Trouverait-elle quelque information utile à ce sujet?

Malheureusement, sa recherche fut vaine. *Une autre impasse*, déplora-t-elle. Elle revint sur une page qui lui était familière, sur laquelle était dessinée une femme avec des fleurs dans sa chevelure. C'était une enluminure qu'elle aimait admirer, réfugiée dans son confortable grenier de Halliwell Manor.

Si l'image avait traversé les époques et était parvenue jusqu'aux sœurs Halliwell, alors tout ce que Phoebe écrirait aujourd'hui apparaîtrait dans *Le Livre des Ombres* des centaines d'années plus tard !

Elle se dirigea vers la petite table pour utiliser la plume d'oie de Prudence et son encrier. Prenant une profonde inspiration, elle commença à écrire.

« Ceci est un message de désespoir adressé à Piper et à Prue : À l'aide ! c'est moi, Phoebe... »

— Finalement, je suis d'accord avec toi, dit Piper : organisons une chasse aux sorcières. Faisons la liste de toutes celles que nous connaissons qui ont des pouvoirs intéressants... en établissant des priorités. Tu comprends ce que je veux dire ?

— Tout à fait ! (Les yeux de Prue s'illuminèrent.) Tu t'en charges, pendant que je feuillette le livre à la recherche d'un sortilège maléfique.

Le rire qui accompagna ses paroles faisait penser au croassement d'un corbeau.

— Quelque chose de méchant et d'infect, acquiesça Piper.

Mais alors qu'elle se plongeait dans la lecture du manuscrit, Prue se figea.

— Ouah !

— Qu'y a-t-il ? s'enquit Piper.

Prue ouvrait de grands yeux.

— On dirait un message, ici, et… il est en train de s'écrire ! Regarde, là !

Elle empoigna sa sœur par le bras et la tira pour qu'elle vienne voir ce qui se passait.

Les mots s'inscrivaient d'eux-mêmes sur la page : « Ceci est un message de désespoir adressé à Piper et à Prue… »

— Comme c'est étrange ! Et cette écriture m'est familière.

— Tu as raison, laissa échapper Prue. Très étrange.

— Attends, c'est un message de… Phoebe.

— Phoebe ? répéta Prue.

En un instant, Piper recouvra la mémoire et vit Phoebe, petite fille, puis adolescente, tendre et si drôle. Phoebe, l'une des deux personnes qu'elle aimait le plus au monde. Elle la revit découvrant *Le Livre des Ombres*. Et, finalement, en train de poursuivre un démon dans une ruelle obscure et disparaître de leur vie.

À présent, voilà qu'un message leur parvenait…

— Elle est vivante ! (Piper se jeta au cou de Prue et se mit à sautiller en chantonnant :) Elle est vivante !

CHAPITRE 14

Piper et Prue regardaient avec stupeur le texte qui s'écrivait sous leurs yeux.

« Ceci est un message de désespoir adressé à Piper et à Prue : À l'aide ! C'est moi, Phoebe. Je suis vivante et prisonnière à Salem, Massachusetts.

« Oui, Salem, pays de la chasse aux sorcières. On m'a dit qu'on était en 1676, et je vis chez une femme nommée Prudence, qui est notre ancêtre. Elle ne m'aide pas vraiment, parce qu'elle est sous l'emprise d'un sortilège maléfique.

« Le sorcier qui nous a attaquées est en fait un démon du Temps (je ne sais pas ce que ça signifie) ; il m'a aspirée à travers une porte – une sorte de fissure temporelle – et j'ai atterri à cette époque.

« La créature est là aussi, semant les graines du Mal pour ruiner notre famille. Enfin, je suis seule, sans une bonne sorcière en vue, et je suis en danger. À L'AIDE !

« Je vous aime, les filles ! Et vous me manquez !

« Phoebe. »

Piper était effondrée ; recevoir des nouvelles de Phoebe lui avait coupé l'envie de chasser et avait dissipé la brume qui obscurcissait son esprit.

Le grenier ne paraissait plus si sordide à présent. Il y avait juste quelques toiles d'araignée et de la cire fondue, c'est-à-dire rien qu'on ne puisse ôter avec un balai et une pelle.

Et Prue... Se tournant vers sa sœur, Piper ne ressentit plus ni colère ni jalousie. Prue était sa sœur ; oui, elle se montrait parfois autoritaire, mais son cœur demeurait le même. Sauf ces derniers jours...

— Réalises-tu ce qui s'est passé ? réagit enfin Prue. Depuis la disparition de Phoebe, nous avons glissé vers cet abysse sans fond. Mais tout à coup, peut-être parce que je sais qu'elle est toujours en vie... je me sens de nouveau mieux.

— Je comprends ce que tu veux dire.

— Comment avons-nous pu oublier que nous sommes les sœurs *Charmed* ? s'interrogeait Prue.

— Sans Phoebe, nous ne sommes rien. Et ç'a été pire que ça, nous nous sommes perverties, frissonna Piper. Je me sens comme... souillée.

— Eh bien, tâche de nettoyer ton esprit et dépêche-toi d'imaginer une façon d'aider Phoebe. Nous avons du pain sur la planche.

Prue consulta une nouvelle fois *Le Livre des Ombres*.

— Je me demande s'il existe un sortilège là-dedans qui nous permettrait de lutter contre ce démon du Temps. Regardons.

Elles ne furent pas longues à trouver ce qu'elles cherchaient. Elles apprirent tout d'abord qu'il s'appelait Falcroft.

— Il est très puissant et nuisible. Il ne cesse de causer des ravages à travers les âges, constata Prue.

— C'est trop angoissant, dit Piper. Si nous ne parvenons pas à contrecarrer ses plans, le Mal gagnera la partie.

— Des innocents seront victimes de sa méchanceté, continua Prue, le regard triste.

— Et nous ne redeviendrons jamais nous-mêmes, ajouta Piper.

Prue se passa nerveusement la main dans les cheveux.

— Nous connaissons son nom. Peut-être pourrions-nous le faire venir ?

— Faire venir un démon ? dit Piper en grimaçant. Oh oui, bien sûr ! Demandons-lui s'il est libre pour dîner ou autre chose.

— Disons, pour autre chose.

Prue retourna au *Livre des Ombres*.

— Je pense qu'il y a là un sort qui nous aiderait à l'appeler.

— Je ne suis pas sûre que ce soit une très bonne idée pour l'instant. Je veux dire, une fois qu'il sera là, que ferons-nous de lui ?

— Bonne question, dit Prue en fronçant les sourcils.

La bougie s'était consumée presque entièrement, et Phoebe lisait toujours. Elle avait fini la lettre pour ses sœurs depuis bientôt une heure, mais restait éveillée avec l'espoir de trouver la façon d'éliminer Falcroft.

La tête penchée sur la table, Phoebe se figea lorsqu'elle entendit une porte grincer.

Prudence se tenait sur le seuil de la chambre.

— Vous n'êtes pas une sorcière.

Les yeux de Prudence étaient ombrés de cernes noirs. Ses traits étaient tirés et paraissaient amaigris sous la faible lumière.

— Vous êtes un démon, venu me voler mes pouvoirs et mon homme.

— Oh, ma chère Prudence, c'est faux, protesta sincèrement Phoebe.

Elle recula la chaise pour se lever et Prudence se raidit de peur.

Elle pointa la main vers Phoebe, qui sentit alors une force l'oppresser, mais cela ne l'empêcha pas de se tenir debout et d'avancer d'un pas en direction de Prudence.

— Pourquoi est-ce que cela ne marche pas ? marmonna Prudence.

Phoebe cligna des paupières. Elle réalisa que son aïeule avait essayé d'utiliser la télékinésie pour l'arrêter, mais cela n'avait pas fonctionné, sans doute parce qu'elle-même était une *Charmed.*

— Mes pouvoirs ont disparu ! (L'angoisse se lisait sur son visage.) C'est à cause de vous et de vos forces maléfiques !

— Non, non, je suis une sorcière, mais pas le genre que vous imaginez.

Phoebe s'approcha pour la calmer, aussitôt Prudence recula et heurta le buffet. Sa voix prit des accents hystériques.

— Vous êtes venue pour tout me prendre !

— Ce n'est pas vrai, je vous assure. Si vous me laissiez faire, je pourrais vous aider, dit Phoebe, esquissant encore quelques pas vers elle.

— N'approchez pas ! fit Prudence tout en laissant sa main vagabonder sur le meuble.

Lorsqu'elle s'immobilisa enfin, elle tenait un long couteau de chasse bien affûté.

La lame scintilla à la lumière de la bougie. Phoebe sentit sa gorge se serrer. Qu'avait dit Hugh ? « Le sortilège est en place et votre volonté sera accomplie. Prudence tuera avant l'aube. »

— Vous ne me laissez pas le choix, dit Prudence en levant son arme. (Une lueur de sauvagerie brillait dans ses yeux.) Je dois vous tuer, acheva-t-elle en fixant Phoebe, qui tremblait de tous ses membres.

CHAPITRE 15

— Ne faites pas ça, je vous en prie ! hurla Phoebe.

Mais la folie se lisait dans les yeux bleus de Prudence. *C'est la fin*, pensa Phoebe. Pourtant, contre toute attente, Prudence lâcha soudain son arme, qui tomba sur le sol. Puis elle s'effondra, pliée en deux, et fondit en larmes.

Phoebe respira profondément. Elle était saine et sauve. Comme il faisait bon vivre ! Elle s'agenouilla près de son ancêtre et lui posa la main sur l'épaule.

— Ne me touchez pas, l'avertit Prudence. Je suis envoûtée, je suis capable du pire.

— Je sais tout cela.

Prudence la regarda avec surprise.

— Écoutez, tenta de la rassurer Phoebe, rien n'est votre faute. Hugh est un sorcier. C'est lui qui vous a ensorcelée. Il est de connivence avec un horrible démon dont le but est de vous mener à votre perte, ainsi que toute votre descendance.

Phoebe se dirigea vers *Le Livre des Ombres*, le feuilleta rapidement, à la recherche de quelques lignes qu'elle avait lues plus tôt. Voilà : « Sortilège pour rompre un enchantement ».

— Bon, vous allez vous sentir beaucoup mieux dans un instant, Prudence.

Phoebe rassembla les ingrédients nécessaires. Elle trouva le porte-bonheur en croissant de lune qui avait appartenu à Melinda, la mère de Prudence. Il constituerait pour les *Charmed* un talisman de grande valeur. Elle ramassa la poupée de chiffon de Cassandra pour servir de « signe de famille », ainsi que la serviette de table en lin de Hugh en guise de « pièce maléfique à chasser ».

Phoebe s'assit sur le sol face à Prudence, plaça la poupée sur ses genoux, puis posa le porte-bonheur en or dans un bol et prit la main de Prudence.

— Vous allez devoir répéter les paroles après moi, d'accord ?

Prudence acquiesça, les yeux noyés de pleurs.

Du jour à la nuit,
De la nuit au jour,
Brise le sortilège
Jette-le au loin.

Les traits de Prudence s'étaient faits de pierre.

— Allez-y, Prudence, réveillez-vous !

Prudence leva les yeux, puis inclina la tête avec lassitude.

— Bon, essayons une nouvelle fois.

Phoebe lui serra très fort les mains, et toutes deux psalmodièrent :

— « Du jour à la nuit, de la nuit au jour, brise le sortilège... »

Un halo se forma autour des deux femmes, les illumina, puis s'évanouit. Phoebe constata que la serviette de lin avait disparu, et regarda Prudence, qui lui adressa un sourire timide. Ses yeux étaient clairs et lumineux, à présent, son visage radieux.

— Le sortilège est détruit, dit Prudence, d'une voix redevenue légère.

Elle souffla les bougies, puis étreignit affectueusement Phoebe, qui ferma les yeux et se blottit dans ses bras. Cela faisait tant de bien d'avoir une amie pour la première fois depuis des jours et des jours.

— Bienvenue au royaume de la Lumière, dit-elle doucement.

Prudence, rayonnante, se pencha vers Phoebe.

— Maintenant, Phoebe Halliwell, aidez-moi à éclaircir tout ce mystère. Qui êtes-vous vraiment et pourquoi êtes-vous là ?

Phoebe lui rendit le porte-bonheur en forme de croissant de lune.

— Mettez d'abord ceci en lieu sûr. Je sais que cela compte énormément pour vous.

— Oui, il appartenait à ma mère.

Prudence pressa l'objet dans sa paume et une pâleur soudaine s'inscrivit sur ses traits. Ses yeux devinrent vitreux et son regard se fit distant.

Phoebe lui toucha gentiment le bras.

— Prudence, qu'est-ce qui ne va pas ?

— Une vision, dit-elle en frissonnant, à l'évidence effrayée.

— Qu'est-ce que c'était ? Dites-le-moi.

— Non, n'en parlons pas. Nous avons peu de temps, et nous avons tant à faire.

Le soleil du matin éclairait déjà la fenêtre. Les deux femmes s'assirent à la table et firent plus ample connaissance. Phoebe évoqua le diable, la faille dans le temps et les futures générations de *Charmed*. Elles parlèrent aussi de Hugh.

— Autrefois, il se montrait gentil et attentionné. Savoir qu'il a basculé dans le Mal me brise le cœur.

— Il devrait y avoir encore de l'espoir pour lui, mais nous devons d'abord éliminer celui par qui tout est arrivé, grâce à un sortilège pour lequel j'ai déjà collecté tous les ingrédients – enfin, presque. Savez-vous où trouver de la carotte fourragère ?

Prudence se mit à rire alors qu'elle coupait quelques tranches de pain.

— Je crois qu'il y en a tout près de la rivière.

— Quand je pense que j'ai fouillé les bois de fond en comble…

Prudence déposa le pain sur la grille dans la cheminée.

— Je sais exactement où en trouver, mais je dois d'abord m'occuper de mettre Cassandra en lieu sûr durant les prochains jours.

Elle disparut dans la chambre. En quelques minutes, la fillette fut habillée ; elle avala rapidement un petit déjeuner tout en frottant ses yeux ensommeillés.

— Pourquoi est-ce que je dois aller chez miss Mary Pierce ? demanda-t-elle d'une voix aiguë. On lui a déjà rendu visite il y a quelques jours !

— C'est une bonne amie, déclara Prudence avec emphase. (D'une main délicate, elle attacha le bonnet de sa fille et lui tendit une motte de beurre.) Tu peux lui apporter ceci, je suis sûre que Mary sera ravie de te revoir.

Prudence se baissa pour embrasser sa fille, la serrant avec chaleur et tendresse.

— Au revoir, ma chérie, je t'aime si fort.

Elle caressa la joue de sa fille, puis ouvrit la porte.

Lorsqu'elle la referma, Phoebe remarqua qu'elle avait les larmes aux yeux.

— Prudence, racontez-moi cette vision.

Mais la jeune femme se contenta de secouer la tête.

— Avez-vous oublié le premier travail du jour ? Commencez par rassembler les ingrédients que vous avez. Je vais au ruisseau à la recherche de la carotte fourragère.

— D'accord, mais activez, sinon, bonjour l'échec !

— « Activez » ? « Bonjour l'échec » ? répéta Prudence. Quelle façon étrange de parler...

Elle attrapa un châle et se dirigea vers la porte.

— Prue ! appela Piper depuis le grenier. Je l'ai trouvé, c'est parfait !

Elle tenait une magnifique sphère en verre brun composée de petites étoiles. Cette décoration de Noël avait été la préférée des trois filles, lorsqu'elles étaient enfants. Chaque année, c'était à qui l'accrocherait au sapin. Encore aujourd'hui, elle ferait l'affaire.

Prue et Piper s'étaient montrées perplexes en voyant que le sortilège réclamait un « délicat objet de dispute ». En plongeant dans ses souvenirs, Piper avait fini par retrouver l'existence de cette boule que chacune d'elles voulait s'approprier.

Entendant les pas de Prue dans l'escalier, elle plaça un morceau d'étoffe dans le bol d'argile et y déposa l'objet avec précaution.

— J'ai eu de la chance, moi aussi, annonça Prue en entrant précipitamment dans le grenier.

Elle apportait une rose, un œuf et une brique couverte de boue, provenant de l'arrière-cour. Elle posa les objets un à un sur la table basse.

— Cela devrait convenir, remarqua Piper en jetant un œil à la liste. Rappelle-moi juste ce que nous allons faire lorsque le démon sera ici.

— Tu vas le figer et je vais l'expédier dans un autre plan astral.

Piper fronça les sourcils.

— J'espère que tu te sens très forte aujourd'hui…

Prue s'agenouilla devant la table et disposa les ingrédients pour le sortilège.

— Aie confiance, dit-elle en prenant la décoration en verre. Ce sera… Ô mon Dieu ! La boule ! (Livide, Prue regardait fixement le sol.) Elle m'a échappé des mains !

L'objet s'était brisé en minuscules morceaux.

— Oh non ! se désespéra Piper. Qu'allons-nous faire, maintenant ?

— Je… je ne sais pas ! répondit Prue.

Piper se frottait les tempes.

— Tout était prêt, il y a juste une minute. Si seulement nous pouvions remonter dans le temps…

Whoooosh !

D'étranges sons s'échappèrent de la bouche de Piper alors qu'elle se sentait bouger comme un automate. Prue émit également des bruits tout aussi étranges, puis leva les bras, tandis que les éclats de verre sur le sol se reformaient en boule, pour retourner d'un bond dans sa main.

Whoooosh !

Cet épisode s'acheva aussi rapidement qu'il avait commencé. Prue tenait la décoration, intacte.

— Incroyable !

— Je vais en prendre soin, dit Piper, se précipitant pour saisir la boule.

— Tu as vraiment fait cela ? Remonter dans le temps ?

Piper sourit.

— Je crois que oui. Est-il possible que ce soit le pouvoir que je tiens de ce démon ?

— Piper ! Tu possèdes le pouvoir dont nous avons besoin pour sauver Phoebe ! s'exclama Prue.

CHAPITRE 16

— Ça change tout ! Maintenant, tu peux nous faire revenir en 1676. Et moi, je peux nous téléporter dans le Massachusetts, dit Prue en se croisant les bras. C'est parfait.

— Mais si nous faisons quelque chose qui change le cours de l'histoire ? s'inquiéta Piper.

— Nous nous en garderons bien. De toute façon, c'est le seul moyen de vaincre le démon et de ramener Phoebe.

Alors qu'elle installait une nouvelle bougie sur un chandelier de terre cuite, Piper jeta un œil sur sa sœur, vêtue d'une longue robe assortie d'une cape de velours noir.

— Tu ressembles à une sorcière de livre pour enfants. Tu vas faire sensation à Salem !

Prue la regarda avec scepticisme.

— Et toi, tu t'es vue, avec ton fard à paupières ?

— Dis-moi franchement ce que tu en penses, fit Piper en éclatant de rire, heureuse de plaisanter de nouveau avec sa sœur.

— Pourvu que ça marche, murmura Prue, tandis qu'elles unissaient leurs mains.

— Concentre-toi sur Phoebe, car nous allons en 1676.

Whoooosh !

Piper vit alors Prue perdre toute épaisseur et se replier sur elle-même. Soudainement, son propre monde explosa en de magnifiques éclats lumineux.

En attendant Prudence qui tardait à revenir, Phoebe avait placé ses ingrédients en demi-cercle autour de la cheminée. C'était l'endroit qui lui avait semblé le plus adapté, car le sortilège impliquait qu'on les jette au feu.

— Me voilà, dit Prudence en entrant vivement.

— Enfin, soupira Phoebe. J'ai cru que vous étiez allée à Tahiti chercher cette carotte.

— Qu'est-ce que Tahiti ? demanda Prudence.

— Je vous expliquerai plus tard. Allumons ces bougies et commençons.

Phoebe se tourna vers *Le Livre des Ombres* et lut à voix haute :

> *Amis de la lumière et sœurs du soleil,*
> *Lune d'hiver et averse d'été…*

Slaam !

Phoebe tressaillit et leva les yeux. Hugh Montgomery se tenait sur le seuil.

— Hugh, dit Prudence en se précipitant vers lui. Mon Dieu, vous sentez-vous mal ? Vous êtes terriblement pâle.

— Je vais fort bien, répondit-il. Ma pâleur est due uniquement au fait que je viens de voir une sorcière.

Phoebe se leva, ne sachant pas comment nier l'évidence.

— Oh, Hugh, je comprends votre surprise, déclara Prudence, mais nous étions juste... juste en train de surveiller le feu et...

— Je ne peux en croire mes yeux ! s'exclama-t-il.

— S'il vous plaît, restez calme, le supplia Prudence.

— Mais rendez-vous compte, Prudence ! gronda-t-il. Elle vous a menti !

Prudence demeura immobile un moment, comme hypnotisée.

— Écoutez, commença Phoebe, pourquoi ne sortez-vous pas votre joli derrière d'ici ? Autrement, ça va barder...

Furieux, Hugh pointa la main vers elle et une boule de feu en jaillit, qui s'écrasa à ses pieds.

Phoebe bondit en arrière tandis que la fumée emplissait la pièce. Il l'avait ratée d'un cheveu.

Elle savait qu'il était un grossier personnage, mais de là à attaquer sans prévenir... ça manquait franchement d'élégance.

— Hugh, cessez immédiatement ! ordonna Prudence.

Toujours fulminant, Hugh projeta une autre boule de feu vers sa bienfaitrice qui tendit les bras pour l'arrêter, mais le projectile se transforma en une corde incandescente qui s'enroula autour d'elle.

— Vos pouvoirs sont bien faibles, ironisa Hugh. Vous ne pratiquez pas assez, ma chère, et vous avez pris trop de tisane.

Il fit claquer ses doigts et les flammes resserrèrent leur étreinte autour de la jeune femme.

— Hugh, par pitié ! cria-t-elle, alors que la douleur se faisait plus intense.

— Arrête, pauvre imbécile ! hurla Phoebe.

Piper et Prue se remettaient peu à peu de leur voyage à travers le temps et l'espace ; elles pouvaient de nouveau bouger librement.

— Nous sommes donc à Salem, dit Prue, regardant autour d'elle, les mains sur les hanches.

— Espérons-le.

Piper examina le toit de chaume de la cabane de rondins devant laquelle elles s'étaient matérialisées.

« Phoebe ! » entendirent-elles.

Les deux sœurs, n'écoutant que leur courage, entrèrent dans la maison. Là, elles restèrent bouche bée à la vue de la scène qui s'y déroulait.

Une jeune femme blonde se débattait, prise au piège par une corde incandescente qu'un beau sorcier contrôlait et faisait se resserrer de plus en plus. Phoebe, debout près de la femme, luttait de toutes ses forces, mais ses efforts paraissaient vains. La femme allait mourir, lentement, atrocement, brûlée vive.

Stop! pensa Piper. Le temps se figea et Phoebe, propulsée en avant, s'écroula littéralement dans les bras de ses sœurs.

— Je suis incroyablement contente de vous voir, murmura-t-elle.

— Tu nous as manqué aussi.

— Promets-nous de ne plus jamais disparaître comme cela, gronda Prue en reculant. Et avant que cesse le sortilège de Piper, sauvons cette femme. (Désignant Prudence :) Je suppose qu'elle est l'ancêtre que tu as mentionnée dans ta lettre.

— Son nom est Prudence Wentworth, notre arrière-arrière-arrière-arrière-grand-mère, et ce dandy est un sorcier, au service du démon. Je l'aurais envoyé faire ses valises plus tôt, mais Prudence pense qu'on peut le ramener dans le droit chemin.

— Compris.

Grâce à ses pouvoirs, Prue libéra rapidement Prudence. La corde incandescente se désintégra, tombant en braises inoffensives.

— Soyez bénies, mes sœurs, les remercia Prudence.

— À votre service, répondit Prue.

Elle prit une chaise et y installa Hugh. Puis elle s'empara d'une corde qui se trouvait sur la table et ligota fermement le jeune homme.

Phoebe, quant à elle, se saisit d'un pot sur lequel était écrit : « Baume pour les brûlures », et entreprit de soigner Prudence. Comme par miracle, ses blessures commencèrent à cicatriser sur-le-champ.

Piper se pencha pour observer le phénomène.

— Je suis très impressionnée. Avez-vous élaboré vous-même cette préparation ?

— Oui, fit Prudence, rougissante.

— J'espère que cela ne vous dérangera pas de nous laisser la recette, dit Piper en posant la main sur *Le Livre des Ombres*.

— Si j'en suis capable, je n'y manquerai pas, promit Prudence.

Un léger mouvement attira l'attention de Piper. L'immobilisation du temps se terminait. Hugh se mit à décocher des coups de pied pour se libérer de ses liens, jurant comme un forcené.

— Sorcières, vous êtes toutes des sorcières !

— Ce sont mes sœurs, clama fièrement Phoebe.

— Merci de... d'être venues à notre secours, dit Prudence en s'inclinant gracieusement. Phoebe a levé l'envoûtement qui était sur moi, mais Falcroft, le démon, a bouleversé l'ordre du temps. Nous devons l'empêcher de nuire.

— Par chance, nous avons tout ce qu'il nous faut pour y parvenir, répondit Phoebe, aussi...

Elle fut interrompue par un regain d'agitation venant de l'endroit où Hugh était attaché. De la fumée montait autour de lui.

— La corde ! remarqua Piper. Elle se consume !

Le sorcier se libéra et fila avant que Piper ait pu geler le temps.

— Désolée, les filles, soupira-t-elle, il a été trop rapide pour moi.

— Ce n'est pas grave, la rassura Phoebe en lui tapotant l'épaule. (Elle se dirigea vers la porte.) Je sais où le trouver.

— Je vais avec vous, déclara Prudence en prenant sa cape.

— Attendez, les interrompit Prue. (Piper se retourna et vit sa sœur à la fenêtre, les yeux fixés dans le lointain.) Je ne pense pas que vous souhaitiez avoir maille à partir avec cette foule, là-bas.

Au pied de la colline couverte d'herbe, une bande de villageois se rapprochait… Bien que le jour se fût levé, ils portaient des torches, ce qui n'était pas bon signe.

— Je savais qu'ils reviendraient, constata Prudence, mais pas si tôt.

Le groupe s'arrêta en voyant Hugh venir à leur rencontre et parler avec leur chef.

— Je doute qu'il chante nos louanges, observa ironiquement Piper.

La horde se mit à courir et, à mesure qu'elle approchait, Piper percevait la colère qui l'animait. Puis un homme entonna un chant qui s'amplifia très vite.

— Que disent-ils ? demanda Prue.

Phoebe fronça les sourcils.

— Sorcière… Sorcière… Sorcière…

La foule grondait de plus en plus fort.

— Bon, maintenant, c'est officiellement effrayant ! décréta Piper.

Dehors, le meneur cria :

— Nous venons chercher la sorcière Phoebe !

— Phoebe, releva Piper, surprise, comment se fait-il qu'ils te connaissent ?

— Que puis-je dire… J'ai fait sensation, plaisanta-t-elle en se mordillant nerveusement les lèvres.

Des hommes commencèrent à frapper violemment la porte en bois. Puis ils scandèrent :

— Livrez-nous la sorcière ! Livrez-nous la sorcière !…

— Attention ! hurla Prue en évitant une pierre que quelqu'un venait de lancer à travers la fenêtre.

Piper l'esquiva également et Prudence, Phoebe et Prue eurent juste le temps de s'écarter avant qu'une pluie de projectiles s'abatte sur la maison.

— Au moins, la vitre est trop petite pour laisser passer quelqu'un. Venez dans la pièce du fond, dit Prudence. Il n'y a pas d'ouverture, là.

— Je ne pense pas que ce soit le problème, remarqua nerveusement Piper.

En effet, la lourde porte de la maison vacillait sous les coups. La fureur des villageois augmentait à chaque instant et le bruit était désormais assourdissant.

— La sorcière Phoebe doit être pendue !

CHAPITRE 17

— Le mieux ne serait-il pas que je leur parle ? proposa Prudence.

— N'ouvrez pas ! lui intima Piper. Ils vont peut-être s'en aller.

— Non, je ne crois pas, dit Phoebe.

Mais Piper maintint tout de même la porte fermée.

— Nous n'allons pas leur faciliter la tâche !

— Dois-je te rappeler que nous sommes dans une maison avec un toit de chaume, entourées d'une foule en colère, armée de torches ? rétorqua Phoebe en soulevant le loquet. Je vais sortir et si les choses dégénèrent, tu pourras arrêter le temps.

— Ce n'est pas raisonnable, protesta Piper, tandis que sa sœur se glissait dehors.

Les trois jeunes femmes la suivirent et firent face à la vingtaine de villageois assemblés là ; la haine qui brillait dans leurs yeux était si intense qu'elle en donnait froid dans le dos.

— La voilà ! cria un homme. Attachez-lui les mains avant qu'elle puisse nous jeter un sort.

Deux colosses s'avancèrent vers Phoebe.

Piper et Prue se placèrent alors devant leur sœur, rejointes par Prudence qui décida de haranguer la foule :

— Bonnes gens de Salem, écoutez-moi, s'il vous plaît. Ce serait une grave erreur de vous en prendre à cette jeune femme.

Les deux villageois s'immobilisèrent et le silence s'abattit sur l'assistance. Piper se demandait s'il était possible de les faire changer d'avis, lorsque Hugh prit la parole.

— Prudence Wentworth dit la vérité, s'écria-t-il. Ce n'est pas Phoebe, la sorcière ! La vraie source du Mal, c'est Prudence elle-même !

Un murmure s'éleva qui se transforma rapidement en de nouvelles vociférations :

— Mort aux sorcières !

— J'ai la preuve que la veuve Wentworth est la vraie source du Mal. C'est elle qui a envoûté Phoebe lorsqu'elle est arrivée dans notre village en lui jetant un sort afin de faire disparaître ses vêtements.

— C'est faux ! protesta Phoebe. À propos de sorcellerie, qui est le sorcier ici ?

Hugh prit soudain un air compatissant.

— La pauvre enfant est devenue folle. Ne croyez pas ce qu'elle dit.

— Vous en arrivez rapidement aux conclusions, intervint Prue. Cette femme vous a-t-elle jamais nui ?

— Elle a causé la mort d'un bébé. Celui de Mme Gibbs. L'enfant allait venir au monde, mais Prudence lui a jeté un sortilège et a retardé sa naissance, je l'ai vue faire de mes propres yeux !

— Il n'était pas arrivé à terme, protesta Prudence. Il n'aurait pas survécu ; je voulais lui donner une chance de vivre.

— La veuve Wentworth est la vraie sorcière, pas cette simple d'esprit ! clama une femme, montrant Phoebe du doigt.

— C'est Prudence Wentworth qui doit être pendue, ajouta un homme imposant.

— Pendez-la ! Pendez-la ! Pendez la sorcière !

— Non, pas de pendaison, dit Hugh, sautant sur l'occasion, une purification est nécessaire. C'est en la noyant qu'elle sera purifiée.

— Noyons-la ! rugit la foule.

Prudence, pâle comme un linge, était sur le point de s'évanouir.

Piper en avait vu assez et s'apprêtait à figer le temps.

— Non, Piper ! lui cria Prudence. N'intervenez pas. J'ai eu une vision… Celle de mon destin, je crois. J'étais sous l'eau, les mains attachées, incapable de bouger et de respirer. C'est ce qui doit s'accomplir et si je vous laisse intervenir, l'histoire entière en sera changée. Vous pourriez même ne plus exister dans le futur.

Prue grimaça.

— Elle a peut-être raison. (Se tournant vers Prudence :) Mais comment savoir si vous ne vous trompez pas ?

— C'était si fort, soupira Prudence.

Un des hommes la regarda avec crainte.

— Silence, sorcière ! ordonna-t-il.

Des pleurs jaillirent des yeux de Phoebe, tandis qu'elle se jetait en avant pour saisir les mains de Prudence.

— Nous ne pouvons vous laisser partir !

— Vous le devez, insista Prudence. Vous ne pouvez prendre le risque de modifier l'avenir.

Les deux hommes l'emmenaient déjà. D'un geste de la tête, elle dit adieu aux sœurs *Charmed*.

— Alors, que sommes-nous censées faire ? interrogea Piper. Rester immobiles alors qu'une foule en colère assassine notre ancêtre ?

— Non. Nous devons la sauver, insista Phoebe.

— Je sais que tu le désires, dit Prue. Mais tant que le démon rôde par ici, nous ne pouvons la protéger. C'est de lui que nous devons nous occuper en premier.

— Bien que ce soit difficile à avaler, je crois que tu as raison, intervint Piper. D'abord la créature, Prudence ensuite.

— Et n'oublions pas Hugh, il mérite qu'on lui réserve quelque chose, rappela Phoebe à ses sœurs.

— D'accord, acquiesça Piper. Avez-vous une idée du lieu où nous pourrons le trouver ?

— J'espère que vous avez vos chaussures de randonnée, parce que nous allons faire une marche dans la forêt, conclut Phoebe tandis qu'elle glissait un étrange assortiment d'objets dans la poche de sa cape.

Piper et Prue suivirent leur sœur, traversant des champs en friche, puis enjambant d'énormes racines qui encombraient le chemin. Elles arrivèrent bientôt aux abords de la forêt.

— Chuut ! Taisez-vous, les filles, vous êtes aussi discrètes qu'un troupeau d'éléphants.

— Si tu savais exactement où il est, je pourrais nous téléporter, fit Prue.

— Téléporter ? répondit Phoebe, surprise. Qu'est-ce que c'est que ça ? Un nouveau pouvoir ? Je dois dire que je suis impressionnée et un peu jalouse.

— Il n'y a pas de quoi, dit Prue. Il s'agit seulement…

— Silence, avertit Piper. J'aperçois quelque chose à travers les arbres.

Elle distinguait un homme assis près d'un feu de bois. Un autre personnage, revêtu d'une cape sombre à capuche, était debout, agitant fébrilement des bras osseux.

Les trois sœurs s'approchèrent en silence et se cachèrent derrière un gros arbre.

— Ce sont eux.

Lentement, elles se faufilèrent jusqu'à un buisson suffisamment proche pour leur permettre de les entendre sans être vues.

— Comment peux-tu être aussi stupide ? cracha le démon. Phoebe était censée mourir avant que Prudence soit jugée comme sorcière ! Comment as-tu pu commettre une telle erreur ?

— Je ne pensais pas que cela importait, dit Hugh en remuant le feu avec un bâton. Quelle différence ? Je peux tuer Phoebe moi-même.

— Tu as désobéi à mes ordres, gronda le sorcier.

Tandis qu'il s'approchait de Hugh, Piper vit pour la première fois à quoi Falcroft ressemblait : un grand front ridé, des yeux exorbités et des cicatrices purulentes sur une peau verte et gélatineuse. Elle grimaça de dégoût. Phoebe avait raison ; il était hideux.

Tout à coup, Falcroft saisit Hugh par les bras.

— Tu as échoué et je ne peux tolérer cela.

La peau de son visage se tendait désormais, révélant deux rangées de dents cassées, noires de pourriture.

Effrayé, Hugh tenta de reculer, mais les doigts de Falcroft pénétraient sa chair.

— Vous... vous me faites mal, haleta-t-il.

Il se tordait et se débattait, sans parvenir à échapper à l'étreinte du démon.

Falcroft esquissa un sourire sarcastique ; ses dents étaient à quelques centimètres du visage de Hugh.

— Oh, ce n'est que le commencement !

— Ne pensez-vous pas que nous devrions intervenir ? chuchota Piper.

La réponse ne se fit pas attendre.

— Non !

— Si tu ne peux pas m'obéir, tu seras quand même utile, dit le démon. Tu vas me nourrir.

Et il croqua allégrement dans le biceps du sorcier. Du sang coulait de la gueule du démon. Hugh se débattait, sanglotait, et s'affaiblissait progressivement. Il tomba à genoux tandis que la créature lui broyait les os.

— Les filles, je ne suis pas sûre de vouloir continuer à regarder ça, murmura Phoebe en se cachant le visage dans les mains.

Quand Hugh poussa un dernier cri, les trois sœurs en furent presque soulagées pour lui.

CHAPITRE 18

Prue ferma les yeux, sans parvenir à chasser la terrifiante image du démon en train de dévorer Hugh.

Elle ne voulait pas s'approcher, mais si les sœurs *Charmed* devaient agir, le moment était venu.

— Phoebe, chuchota-t-elle, as-tu tous les ingrédients pour le sortilège ?

— J'ai tout mis dans un sac. (Elle glissa la main dans sa poche et en sortit une poche de cuir.) Le voilà.

— Bien, dit Prue. Allons-y.

Piper, tête baissée, gardait les yeux fixés au sol.

— C'est dégoûtant, fit-elle d'une voix faible, ça me rend malade.

— Je sais, mais concentre-toi sur le sortilège. Tu te souviens de la formule ? demanda Phoebe.

Piper acquiesça. Phoebe la leur avait récitée au moins dix fois sur le chemin qui les avait menées jusque-là.

— Prêtes ? (Lorsque Piper et Phoebe lui firent signe que oui, Prue joignit ses bras aux leurs.) C'est parti !

Les trois *Charmed* contournèrent le buisson et s'avancèrent. Prue luttait intérieurement pour ne pas trembler. Elle devait se montrer forte. Ses sœurs comptaient sur elle.

— Souvenez-vous du Pouvoir des Trois, dit-elle, tandis qu'elles progressaient vers la clairière.

Le son de leurs voix alerta le démon qui leva son visage maculé de sang, les fixant de ses yeux globuleux, mais les jeunes femmes continuèrent à avancer.

— Qu'est-ce qui se passe ? Voilà mon dessert ?

— Riez, lança Phoebe. Rira bien qui rira le dernier !

Enfin, elles parvinrent assez près du feu. Phoebe éleva la poche de cuir vers le ciel puis la jeta dans les flammes.

— L'incantation ! s'exclama Prue. Vite !

Ensemble, les *Charmed* prononcèrent :

Amis de la lumière et sœurs du soleil,
Lune d'hiver et averse d'été,
Renvoyez ce démon dans les ténèbres,
Chassez-le, détruisez son pouvoir.

Le feu vira soudain du vert au violet, puis au bleu lumineux. La peau pustuleuse du démon se gonfla, sur le point d'exploser. Des étincelles chatoyantes jaillirent et Falcroft se tordit de douleur.

Prue serra les mains de ses sœurs de plus en plus fort, tandis que le feu redoublait d'intensité.

— Devons-nous reculer ? demanda Piper.

— Non, lança Prue. Nous devons rester où nous sommes, le Pouvoir des Trois nous libérera.

— Le Pouvoir des Trois nous libérera, reprirent-elles en chœur.

Des flammes tantôt rouges, bleues, vertes ou violettes enveloppèrent Falcroft. La créature fut soulevée dans les airs et brûlée vive. Son cri déchirant et pathétique résonna dans la forêt, tandis que le sortilège le tirait hors du temps et de l'espace, le projetant dans un abîme éternel.

Puis, tout fut fini. Le feu s'éteignit doucement. Les oiseaux survolèrent de nouveau la clairière.

Un sentiment de soulagement s'empara de Prue. La vie continuerait et serait bien plus agréable.

La lignée des sorcières Halliwell pratiquerait donc la magie blanche et le monde ne s'en porterait que mieux.

— Terrifiant ! commenta Phoebe.

— Je suis si contente que ce sortilège ait opéré. Pouvons-nous rentrer chez nous ? enchaîna Piper.

— Pas question ! Tu oublies Prudence ?

— C'est un sujet délicat, dit Prue. Nous avons sans doute le pouvoir de faire quelque chose pour elle, mais réfléchissez-y. Si nous l'aidons, est-ce que cela ne va pas modifier le futur ? Je veux dire que chacun de nos ancêtres pourrait en être affecté.

Piper se mordit la lèvre d'un air pensif.

— Phoebe, ce qui est arrivé à Prudence marque sans doute le signe de son destin.

— Non, certainement pas. Comment pouvez-vous être sûres que nous ne sommes pas là pour la protéger ? argumenta Phoebe. Peut-être est-ce la raison pour laquelle nous avons été envoyées ici, la vraie raison. (Elle s'interrompit, puis reprit :) Il est juste de sauver Prudence. Je le sens.

— Est-ce tout ? demanda Piper.

— C'est mon opinion, et peu m'importe que vous ne la partagiez pas.

Elle plongea les mains dans la poche de la cape de Prudence et sentit quelque chose de dur et de métallique. C'était le croissant de lune. Le porte-bonheur en or qui avait appartenu à Melinda Warren, la mère de Prudence. Phoebe le serra dans sa main, surprise de le trouver ici.

Whooooosh !

Une image de lumière mouillée et distordue traversa son esprit. Tout était flou et vacillait. Elle se trouvait sous l'eau. Non, non, c'était Prudence ! C'était la vision de Prudence lors de sa noyade.

Mais lorsque la chaise de bois à laquelle Prudence était attachée fut soulevée, la jeune femme s'éleva hors de l'eau, haletant et toussant, puis souriant à trois visages familiers.

— Le Pouvoir des Trois ! prononça Phoebe à voix haute.

— Phoebe, tu vas bien ? s'enquit Piper.

Lorsque Phoebe leur raconta sa vision en détail, ses sœurs semblèrent d'abord déconcertées.

— Grâce au Pouvoir des Trois, nous pouvons changer le cours des choses. Il n'est pas utile que Prudence meure, insista Phoebe. De toute façon, Cassandra grandira et transmettra *Le Livre des Ombres* à ses filles. Mais nous pouvons faire en sorte qu'elle vive avec sa maman et sauver ainsi une personne qui est devenue une amie chère. Pouvez-vous me faire confiance, maintenant ?

— Je crois que Phoebe a raison, avança Prue. Cela va dans le sens de ce que nous souhaitions faire. Nous ne pouvons partir d'ici sans tenter quelque chose.

— C'est bon, admit Piper. Où est-ce que l'on noie les sorcières, dans cette ville ?

Il ne fut pas difficile de trouver Prudence. La foule s'était rassemblée près d'un étang situé à mi-chemin entre sa maison et le centre de la ville.

Près de la rive, un homme fabriquait un engin de bois rempli de briques, relié à une chaise.

— Nous n'avons jamais rien vu de tel à Salem jusqu'à aujourd'hui, disait-il à son voisin. Mais cela devrait être efficace pour noyer une sorcière.

Prudence était retenue par d'épais liens, abasourdie, quasi résignée à son sort.

Elle est probablement en état de choc, pensa Phoebe.

— Cachons-nous ! Laissons les villageois s'offrir leur spectacle, parce que, lorsqu'ils retireront la chaise de l'eau, ils auront la surprise de leur vie.

L'homme enfonça encore quelques clous.

— C'est fini, dit-il tout en reculant. Laissons la sorcière face à son destin !

La foule l'acclama tandis que Prudence était hissée au-dessus de l'étang. Phoebe, saisie d'angoisse, vit la tête de Prudence s'enfoncer sous les eaux grises.

Alors, comme prévu, Piper figea le temps.

Prue se pencha au-dessus de l'eau et fit appel à ses pouvoirs pour remonter le siège et le poser sur la rive. Une fraction de seconde plus tard, elles libérèrent Prudence qui suffoquait et crachotait.

— Oh ! C'est vous ! Soyez bénies, articula-t-elle.

— Oui, j'ai décidé de geler le temps, dit Piper. Peut-être un peu tard…

Alors qu'elle aidait Prudence à se remettre sur ses pieds, Prue lui expliqua comment elles s'étaient débarrassées du démon et comment Phoebe avait eu une vision…

— Vous, en train de sortir de l'eau, précisa celle-ci. J'ai compris qu'il était possible de vous sauver sans bouleverser l'avenir, mais avant que le temps ne reprenne son cours, vous devrez être loin d'ici. Allez chercher Cassandra et quittez Salem pour toujours.

— Pourrai-je jamais vous remercier, toutes les trois ?

— C'est nous qui devrions vous remercier. Vous êtes une sorte de grand-mère pour nous, répondit Phoebe.

— Maintenant, partez, avant qu'on ne vous voie, ordonna Prue.

Elle concentra alors ses pouvoirs sur le siège vide qui s'envola puis retomba dans les eaux de l'étang, juste au moment où l'immobilisation du temps cessait.

Phoebe observa les villageois sortir la chaise de l'eau.

— La sorcière a disparu ! cria quelqu'un.

Deux hommes fouillèrent la rive, à la recherche du corps de Prudence. Ils ne trouvèrent rien.

— Elle s'est servie de sa magie pour s'échapper ! s'exclama l'un d'eux. N'est-ce pas la preuve que c'était une sorcière ?

Pour une fois, vous avez raison, songea Phoebe avec satisfaction.

CHAPITRE 19

— Je déteste précipiter les choses, mais nous ferions mieux de rentrer, dit Piper. Nous avons dérobé à des sorciers le pouvoir de se téléporter.

Phoebe la regarda sans comprendre.

— Que veux-tu dire ?

— On t'expliquera plus tard, intervint Prue. Le fait est que nous devons regagner au plus vite le San Francisco du IIIe millénaire tant que nous en avons la faculté.

Elles se cachèrent derrière un chêne majestueux et formèrent un cercle. Prenant les mains de ses sœurs, Phoebe, ébahie, les vit se plier et se replier encore, jusqu'à devenir microscopiques. Elles explosèrent en un jaillissement de poussière d'étoiles. Quelques instants plus tard, les trois jeunes femmes se trouvaient debout dans une petite rue de North Beach, juste à un pâté de maisons de l'endroit où elles avaient fait leur shopping.

— Je n'arrive pas à croire que vous avez volé les pouvoirs de sorciers, vilaines filles, dit Phoebe en donnant une tape sur l'épaule de Piper.

— Nous n'en sommes pas très fières, en vérité.

— Peu importe, fit Phoebe.

C'était une matinée délicieusement ensoleillée et tonifiante qu'elle ne voulait pas passer en supputations oiseuses.

— Tu sais, lança Piper à Prue en lui flanquant un coup de coude, on pourrait la faire, cette séance shopping…

— C'était exactement ce à quoi je pensais, lorsque je nous ai téléportées ici, dit-elle, tout sourires. Il faut aider Phoebe, elle ressemble vraiment à une nonne.

— Moi ? s'étonna Phoebe en regardant à tour de rôle ses sœurs. Vous ne vous êtes pas regardées !

— Donc, nous méritons toutes une petite transformation, approuva Piper, prenant ses sœurs par le bras.

— Merci pour tout, les filles. Sans vous, je serais morte à Salem, et Prudence aussi. Je suis si heureuse que nous ayons pu la sauver, continua Phoebe.

— Et n'oublions surtout pas : nous avons banni cet horrible démon vert, rétorqua Piper.

— Un démon de moins, mais combien d'autres à combattre ?

— Comptez sur moi, dit Phoebe. De plus, vous avez besoin de ma présence pour qu'existe le Pouvoir des Trois.

Savoir qu'on ne pouvait se passer d'elle la réconfortait. Elle était l'une des trois *Charmed*, et c'était ce qui lui importait le plus au monde.

Dans la même collection

1. Le pouvoir des trois
2. Le baiser des ténèbres
3. Le sortilège écarlate
4. Quand le passé revient
5. Rituel vaudou
6. Menaces de mort
7. Le violon ensorcelé
8. Le secret des druides
9. La fiancée de Nikos
10. La statuette maléfique
11. La sorcière perdue
12. La ceinture sacrée
    (à paraître en juin 2004)

Composition : Francisco *Compo*
61290 Longny-au-Perche

Impression réalisée sur Presse Offset par

BRODARD & TAUPIN

GROUPE CPI

La Flèche (Sarthe), le 17-05-2004
N° d'impression : 23320

Dépôt légal : juin 2002

Suite du premier tirage : mars 2004

Imprimé en France

12, avenue d'Italie • 75627 PARIS Cedex 13

Tél. : 01.44.16.05.00